МИР
ПАУКОВ

МУДРЕЦ

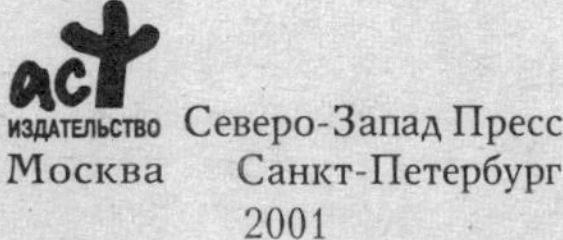

Северо-Запад Пресс
Москва Санкт-Петербург
2001

УДК 820(73)
ББК 84(7США)
М 15

Серия основана в 2000 году

Серийное оформление Александра Кудрявцева

Макферсон Б.

М15 Мудрец: Роман. — М.: ООО «Издательство АСТ»; СПб.: «Северо-Запад Пресс», 2001. — 400 с. — (Мир Пауков).

ISBN 5-17-004050-4 (ООО «Издательство АСТ»)
ISBN 5-93698-046-4 («Северо-Запад Пресс»)

Один из самых известных фантастических сериалов, начало которому положили произведения знаменитого британского писателя и мыслителя Колина Уилсона, получил свое продолжение в работах отечественных авторов.

Мир, где Земля полностью преображена после космической катастрофы.

Мир, где пауки обрели волю, разум и власть.

Мир, где обращенный в раба человек должен вступить в смертельную борьбу, чтобы вернуть себе свободу.

Мир пауков становится НАШИМ миром.

УДК 820(73)
ББК 84(7США)

ГЛАВА ПЕРВАЯ

Ошеломленные жители Паучьего города, задрав головы и толкаясь, в ночных рубахах торопливо высыпали наружу из своих тесных жилищ. В домах никто из людей не хотел оставаться, всех мгновенно охватила дрожь радостного возбуждения.

Да и немудрено!

Кто смог бы спокойно валяться в душной комнате на кровати, когда черное небо над городом внезапно разродилось невиданным, фантастически красивым зрелищем — космическим фейерверком!

В один момент десятки, сотни, тысячи ярких огней безмолвно вспыхнули на черном бархатном пологе небосклона и испещрили бездонную галактическую тьму серебряными нитями.

Гигантские извилистые линии загорались над всклокоченными головами полуодетых жителей, иллюминирующие лучи пересекались на небе, протягивались бесчисленными сверкающими дугами, взмывали полукольцами и обрушивались вниз стремительными меркнущими зигзагами.

Бурлящие ночные улицы освещались отовсюду.

Неверный приглушенный свет то и дело выхватывал из тьмы прямоугольные силуэты многоэтажных зданий, опутанных толстыми жгутами гигантской паутины.

Казалось, что сам город ожил и пришел в движение,— в сполохах небесного пламени тени каменных башен-великанов с удивительной легкостью накренялись и перемещались по мостовым. Колоссальные тени двигались в разных направлениях, гуляя вверх и вниз, как качели, точно играя в прятки друг с другом.

Запруженные народом улицы и площади гудели, почти каждую минуту взрываясь громкими воплями.

Сверху из темноты им вторили восторженными криками горожане, собравшиеся на крышах небоскребов. Счастливцы, успевшие вовремя прорваться на смотровые площадки, толпились на вершинах бетонных утесов и особенно бурно откликались на необычный небесный спектакль.

Со стороны могло показаться, что Город отмечает какой-то крупный всенародный праздник.

Людей неожиданно объединила нарастающая беспричинная эйфория, сон пропал, все радовались и ликовали.

Радостное волнение пьянило, разливая в воздухе чувство беззаботной легкости.

Фейерверк начался неожиданно, люди стремительно выскакивали из домов, не успевая переодеться, но никто и не стеснялся своих пижам и ночных туник.

Напротив, вскоре первое смущение прошло и спальные наряды придавали этой необычной ночи оттенок веселой карнавальности, приметы эдакого бесшабашного, развеселого маскарада.

Беззубые старцы с важностью прогуливались в остроконечных колпаках и косынках, прикрывавших полысевшие, облетевшие головы, а молодежь... молодежь резвилась больше всех!

Возбужденные юноши с пылающими взорами кружили по запруженным улицам и набережным в поисках своих полуодетых подружек.

Разрумянившиеся девушки в легких полупрозрачных туниках сбивались в стайки, со звонким смехом одергивая короткие подолы, поднимаемые проказливым жарким ветром и прикрывая ладонями глубокие вырезы на груди.

Со временем небесный фейерверк прекратился, над Паучьим городом снова нависло черное небо, как и прежде пронизанное алмазными россыпями мерцающих созвездий.

Только взбудораженные жители вовсе не торопились сразу возвращаться в свои жили-

ща. В руках взрослых мужчин уже вовсю замелькали невесть откуда взявшиеся кувшины с хмельным медом, кое-где зазвучала музыка, и оживленный гомон в разных местах то и дело оборачивался нестройными мелодиями песен.

Лишь маленькие дети и старики потянулись в свои кровати, все остальные даже не думали вернуться, а предпочли продолжить неожиданный праздник.

Веселье во всех районах обещало растянуться до утра. Вспыхнули дрожащие языки смоляных креозотовых факелов, из подвалов появлялись все новые и новые кувшины. Обитатели Города горячились, шумели, кричали и громко хохотали при том, что никто из них не смог бы сказать: что, собственно, происходило совсем недавно? Почему после этих причудливых всполохов на сердце стало так легко и радостно?

Хотя подобные вопросы в тот момент даже не приходили никому в голову. Все разгуливали по мостовым, пели и танцевали в спальных нарядах, в глубине души считая, что все происходящее кругом — лишь сон, волшебный сон в летнюю ночь.

Мало кто знал, что на свете существует только один человек, способный объяснить тайну небесного полыхавшего горнила,— Найл, глава Совета Свободных людей.

Когда нежданный карнавал уже вовсю бушевал на улицах Города, устало бредущий

Найл столкнулся среди бурлящего веселья с возбужденным Симеоном.

Судя по всему, пожилой медик находился в самом прекрасном расположении духа — глаза его оживленно блестели хмельным медом, всклокоченная борода торчала в разные стороны, а из легкой спальной туники, распахнутой на груди, вылезали пучки густой седой шерсти.

— Ты видел это чудо? — энергично спросил врач.— Какая красотища!

— Где? О чем это ты? — утомленно спросил Найл.

— Где ты был? Неужели ты все пропустил? — гулко захохотал Симеон.— Где же ты был, скажи?!

— Работал...— тихо ответил Найл и пожал плечами.

— Как тебе не стыдно! — жизнерадостно закричал его неуемный друг.— Со своей работой ты все пропустишь в жизни! Ты ничего не увидишь, и жизнь пройдет стороной!

— Что же, значит этого не миновать...— обреченно согласился Найл и тихо, едва слышно добавил: — Хотя я мог бы тебе объяснить кое-что...

Но он не спешил рассказывать все, не торопился просто потому, что устал.

Действительно, Найл смертельно, безумно устал и не находил в себе сил даже на простую улыбку, хотя и его переполняла первобытная радость.

Он заснул сном измученного человека, и только он не веселился в эту ночь, хотя единственный из всех жителей знал разгадку фантастического фейерверка.

Лишь он отдавал себе отчет в том, что если бы этой ночью небо не осветилось бы причудливыми огнями, то вскоре прекратилась бы жизнь!

Жизнь оборвалась бы не только на улицах Паучьего Города, но и во всем остальном мире...

ГЛАВА ВТОРАЯ

Сотни, тысячи, десятки тысяч огней и сверкающих нитей, повисших в ночной тьме и так порадовавших горожан, на самом деле были полыхающими осколками кометы, получившей в свое время грозное имя Харибда.

Восхищенные обыватели, с любопытством задирая головы, на самом деле наблюдали гибель огромного небесного тела размером с Джомолунгму, имевшего около семи миль в диаметре и еще недавно летевшего прямо к Земле с невероятной скоростью пятьдесят миль в секунду.

“Раз... два... три...” — порой отмерял Найл про себя роковые мгновения.

Он с холодным ужасом пытался представить себе, что только за этот ничтожный отрезок времени космическое чудовище успевало проскочить сто пятьдесят миль в ледяном холоде по направлению к Солнечной системе и на сто пятьдесят миль приблизиться к его городу.

Если бы траектория движения Харибды все-таки пересеклась бы с траекторией “голубой” планеты, возник бы эффект лавинного истребления.

В очередной раз Землю сотрясла бы глобальная катастрофа, последствия от которой невозможно было бы предугадать.

Тысячу лет назад из галактического мрака уже выскакивала комета, печально известная всем землянам под названием Опик.

Этот огнедышащий монстр, летевший вперед “головой” с диаметром в тысячу миль, даже не столкнулся вплотную с Землей, а лишь только опахнул ее своим длинным радиоактивным хвостом.

Но и этого рокового объятия оказалось вполне достаточно, чтобы отбросить человеческую цивилизацию на много лет назад, почти что в каменный век.

Погибли прекрасные города, опустились в морские пучины одни земли и вознеслись из волн другие.

Губительного дыхания кометы Опик оказалось достаточно даже для того, чтобы огромные континенты поменяли свои очертания, и после этого безразличный ветер разметал в прах руины величественных зданий и замков. Великие полноводные реки обмелели или изменили направления, обвенчавшись с новыми руслами.

Мир стал иным, только мало кто из людей смог бы это заметить...

Многие, бросив все, спаслись перед катастрофой, бежав на планету, ностальгически названную Новой Землей.

В тот трагический год, незадолго до рокового контакта с кометой Опик, со стартовых площадок поднялись гигантские ковчеги, уносящие более ста миллионов людей к чуждым берегам.

На далекую планету, пригодную для жизни в созвездии Альфа Центавра, отправились люди, захватившие с собой образцы многих земных растений и уцелевших к тому времени животных.

Организаторы эвакуации точно старались придерживаться ветхозаветного принципа “от каждой плоти по паре”, и не случайно главный ковчег носил библейское имя “Навуходоносор”.

Но на многострадальной Земле оставались еще сотни миллионов, миллиарды ни в чем не повинных обитателей, не имевших возможность для эвакуации и не получивших места на космических транспортах.

Почти всем неудачникам суждено было погибнуть...

После катастрофы уцелела лишь какая-то малая часть людей, но и им была уготовлена жалкая участь.

На многие столетия человечество погрузилось во мрак варварского существования.

Предки Найла веками вели жизнь, мало чем отличавшуюся от жизни первобытных дикарей, попавших к тому же в рабство к гигантским паукам-смертоносцам.

Горький сарказм судьбы состоял в том, что пока люди, жестоким образом отброшенные на пещерный уровень, постепенно приходили в себя, непостижимые мутации настигли кровожадных пауков,— после катастрофической эволюции эти восьмилапые насекомые непостижимым образом выросли и увеличились в размерах.

Более того, самые хитрые и свирепые пауки, именовавшиеся смертоносцами, эти гигантские твари черного цвета достигли немыслимого уровня развития, при котором могли управлять всем живым вокруг на ментальном, телепатическом уровне, сплетая импульсы своего сознания в единую сеть...

Стоит ли говорить, что человек, потерявший после катастрофы весь арсенал приобретенных знаний, попал в чудовищную кабалу к паукам-смертоносцам?

Смертоносцы подавляли человеческое сопротивление уже на телепатическом уровне, сковывая сознание людей направленными лучами чудовищной воли.

Долгие годы даже сама надежда на освобождение выглядела невероятной химерой. Казалось, что люди навечно обречены на скотское существование,— малая часть "счастливчиков" получала шанс только прислуживать паукам, а большей... большей части готовилась иная участь!

Почти каждому суждено было в конце концов попасть в зловонное ненасытное паучье брюхо.

Найл сделался избранником судьбы, когда в юности убил первого смертоносца, и произошло это в руинах древнего заброшенного города.

Потом, неоднократно вспоминая тот день, он понял, что, может быть, даже не так важно было просто угробить черное чудовище. Важно было не дрогнуть от страха и проявить твердость.

Можно сказать, что тот, "новый древний мир", возникший после глобальной Катастрофы, пошатнулся только тогда, когда человек наконец-то смог противостоять враждебной воле смертоносцев.

Без этого Найл просто не способен был бы поднять руку, замахнуться и раскроить металлической трубкой огромную паучью голову, опоясанную зловещим ободом восьми яростных красных глаз.

Воля Найла не дрогнула, он смог увернуться от мохнатой лапы, чтобы нанести разящий смертельный удар, и именно в то мгновение пауки-смертоносцы начали терять свое вековое господство.

"Жнецы", смертоносное оружие прошлого, извлеченное из древнего арсенала, появились уже позже.

Тогда пауки уже пребывали в легкой растерянности, тогда единая телепатическая сеть, связывавшая всех смертоносцев, уже легонько подрагивала от паники.

А уж потом, с лазерными разрядниками в руках предки землян почувствовали себя по-другому, они сразу вспомнили, что когда-то безраздельно хозяйничали на своей “голубой” планете.

О мести думали почти все люди. Каждый мечтал припомнить моря крови, пролитые в прошлом, никто не сомневался, что нужно давить, жечь огромных чудовищ и истребить до единого.

Жители города так бы и поступили, спалив дотла все паучьи тенета, но Найл, побывав в волшебном месте, именуемом Дельта, ясно осознал, что самый простой путь, путь насилия мог оказаться и самым для них губительным.

Найл не стал бы избавителем своих сородичей от рабства пауков, если бы на него не пал выбор Нуады, Богини Дельты,— исполинского шарообразного растения, занесенного из далеких углов ледяного космоса ужасным хвостом кометы Опик и наделенного сознанием колоссальной силы.

Богиня Дельты, правительница Реки Жизни почиталась смертоносцами за Верховное божество.

Именно Нуада удержала всех от смертоносной схватки.

Растение-властитель отчетливо впечатало в сознание Найла мысль: если “жнецы” все-таки полыхнут молниями по смертоносцам, кровавая жатва не затихнет даже после того, как последняя паутина развеется в прах и будет сожжено последнее паучье яйцо.

Люди так устроены, что они не могли бы остановиться, они стали бы истреблять друг друга, и круг истории в который раз замкнулся бы на кровавой схватке, в которой человечество принялось бы отчаянно истреблять друг друга.

Бесстрастные хроники прошлых эпох, педантично фиксировавшие все сколько-нибудь значительные события, были перенасыщены сведениями о бесконечных войнах, полыхавших на планете.

Парадоксальным образом получилось так, что соседство с гигантскими пауками объединяло всех горожан и перед лицом общей опасности удерживало от внутренних раздоров, поэтому и пришлось землянам смириться с новым устройством жизни.

Они должны были учиться, как соблюдать мирный Договор и уживаться вместе с прежними восьмиглазыми угнетателями,— с этого момента и началась новая эпоха, эпоха взаимного мирного существования.

Все нити управления пауками по-прежнему оставались за Смертоносцем-Повелителем, а Найл, избранник Богини Дельты, возглавил Совет Свободных людей.

Восьмиглазые хищники поклялись впредь больше не пожирать людей. Горожане обязались забыть месть и зачехлить стволы лазерных расщепителей.

Найлу казалось, что отныне жизнь в Городе обретет новую гармонию и ничто впредь не будет ее омрачать.

Это были прекрасные мечты... Увы, им не суждено было сбыться.

Неожиданно оказалось, что Земля устроена так хрупко, что огромная планета на самом деле беззащитна перед лицом галактической опасности.

В очередной — в который уже! — раз люди могли потерять все, что было достигнуто ими таким непосильным трудом...

Воистину, со стороны могло бы показаться, что сама Судьба, или некие зловещие потусторонние силы ополчились на голубую планету и населяющих ее двуногих...

Но мир не был беззащитен.

Та же самая Судьба, на которую многие с такой легкостью роптали, предопределила Найлу роль избранника и спасителя не только человечества, но и всего мира.

Ему суждено было убить смертоносца и уцелеть после этого, ему удалось проникнуть внутрь Белой башни и узнать местоположение древнего арсенала, скрывающего в своих недрах десятки лазерных расщепителей, именно он после победы занял место Главы Совета Свободных.

Не удивительно, что именно Найл, благодаря помощи сверхмощного компьютера Белой башни, узнал секрет мощного оружия, целую тысячу лет дожидавшегося своего часа в глубокой подземной шахте, и ввел электронные коды в пусковое устройство, выпустив на волю пучковый заряд, взмывший из пустынной горной долины и настигший убийственную Харибду.

Ракета, наведенная гигантским электронным мозгом Белой башни, врезалась в комету и разнесла в прах шестьсот тонн галактического камня, в одно мгновение превратив крохотный огненно-белый султанчик яркого света на черном пологе ночного небосклона в пригоршню причудливых искр.

Никто в Городе даже не слышал о приближении кометы Харибда. Никто, кроме Найла, не подозревал о смертельной опасности, но каждый в эту карнавальную ночь веселился так, словно знал, сколько бед в скором времени могла натворить эта галактическая Джомолунгма.

На душе Найла было светло, только в тот момент и он не подозревал, что опасности еще не кончились.

Не случайно все пауки-смертоносцы, как один, в отличии от людей, высыпавших на улицы, забились в свои сумрачные жилища и настороженно взирали оттуда на воспламенившееся небо.

Найл пытался радоваться вместе со всеми горожанами и тогда еще не знал, что вскоре ему предстоит еще немало пережить, снова приложив массу усилий для спасения своего мира...

ГЛАВА ТРЕТЬЯ

Когда Найл впервые узнал о приближении кометы Харибда, он всерьез испугался, неожиданно струхнул так, как никогда в жизни.

Было от чего сойти с ума, и порой он был уверен, что уже сошел с ума от ужаса. Даже в тяжелые времена юности, прошедшие в пещере раскаленной пустыни Северного Хайбада, он не испытывал такого необъяснимого страха.

Хотя тогда приходилось трудно, очень нелегко, вся его семья каждый день вынуждена была прятаться в каменной норе под землей, и не столько от самих летающих шаров пауков-смертоносцев, сколько от щупов страха, которыми дозорные пауки хлестали по знойной пустыне, стараясь парализовать волю каждого спрятавшегося человека.

В те времена никто из его близких не чувствовал себя в безопасности даже под толстыми сводами укромной пещеры. В любой момент могла налететь охотничья облава смертоносцев и если парализующие лучи полоснули бы по человеческому сознанию, пусть даже и сквозь толщу почвы, всех ожидал ужасный конец.

Пауки тогда парили высоко в синеве, они хлестали лучами враждебной воли по внешне необитаемым краям, целясь в прячущихся под землей людей и стараясь уловить всплеск ответной реакции. Восьмилапые твари, поднимающиеся в благословенную синеву на зловонных шарах, стегали ментальными бичами по выжженной пустоши и жаждали только одного: наткнуться на укрытия своих лакомых жертв.

Никому из людей нельзя было даже дрогнуть от страха. Достаточно было самому маленькому ребенку только вскрикнуть под землей и затрепетать, послав тем самым ответный рикошет патрульному смертоносцу, зависшему высоко над пустыней, как получивший сигнал паук мгновенно торжествующе оповестил бы остальных.

Всех смертоносцев связывала между собой единая телепатическая сеть, и вскоре небо над тайным приютом несчастных содрогнулось бы от нашествия.

Бескрайние просторы почернели бы от десятков, сотен снижающихся воздушных шаров. Прилетевшие хищники раскидывались по земле единым колоссальным кругом, сквозь психическое воздействие которого прорваться не мог никто.

Ни один человек, даже самый отважный, не мог бы безболезненно просочиться через полыхающее кольцо ненависти. Всех обитателей пещеры ждала бы неволя, неминуемые длительные дни страдания и еще более долгая мучительная гибель.

О скорой смерти в том случае можно было бы только мечтать — пауки никогда сразу не убивали своих жертв, а вводили в тело особый парализующий яд.

Человек не умирал, он находился в сознании и все чувствовал, но не способен был пошевелить даже пальцем, он не мог никак сопротивляться в то время, когда в его тело впивались хищные клыки, покрытые липкой зловонной слизью.

Что на свете могло быть ужаснее участи постепенно сжираемого заживо?

Люди прекрасно понимали всю опасность, поэтому со временем научились сопротивляться неумолимому психическому гнету.

Потом уже, достигнув зрелости, Найл понял, что научился преодолевать панический ужас именно во времена своей юности. Дни, отмечаемые зарубками на стене пещеры, вытягивались в недели, продолговатые фигуры недель превращались в месяцы,— старый дед Джомар, родоначальник семейства Найла, еще помнил эти древние, старинные слова,— а люди все так же продолжали бороться под землей со своим страхом для того, чтобы выжить и дождаться следующего утра.

Но известие о стремительном приближении кометы Харибда заставило даже опытного, умудренного жизнью Найла внутренне дрогнуть.

Угроза оказалась настолько велика, что он боялся не за себя, а за жизнь своих близких, друзей, за судьбу всех горожан, пусть даже и остававшихся ему незнакомыми.

Слишком хорошо он знал о чудовищных изменениях, потрясших планету тысячу лет назад после рокового свидания с прошлой кометой...

С того самого момента, как он узнал о новой опасности, грозящей Земле, страх поселился в его душе, будто ненасытное чудовище. И рассказать никому из горожан он не мог, чтобы не повергнуть весь Город в панику, и спросить совета поэтому ни у кого было невозможно.

Холод ужаса продувал его сердце леденящим жалящим ветром вплоть до того мгновения, когда он наконец, набрав секретный код, привел в действие пусковой механизм старинного заряда колоссальной разрушительной силы.

Тогда оживленный Найлом электронный замок откинул идеально круглую крышку, вскрыв гигантскую вертикальную полость гигантской искусственной пещеры, созданной десять веков назад для того, чтобы служить своеобразным стволом для мощного пучкового заряда.

Трудно было даже представить себе, насколько глубоко уходила в недра Земли вертикальная пещера, устроенная в центре горной долины.

Мощный пучковый заряд, направляемый гигантским компьютером Белой башни, ушел к цели и в ледяной мгле прошил комету Харибда, превратив грозную галактическую убийцу, вынырнувшую из какой-то черной вселенской дыры, в гроздья эффектного ночного фейерверка.

Только тогда Найл смог вздохнуть спокойно, но вскоре он узнал, что нашествие обеих комет с интервалом в десять столетий не было простым совпадением, что появление Опик и Харибды было своеобразными тисками единого зловещего Плана, направленного против человека...

* * *

Известие о возможном столкновении Земли с кометой весом в шестьсот тонн, пришедшее к Найлу в Белой башне, не застало его врасплох.

Давно уже в его жизни началась черная полоса, темней которой, пожалуй, еще и не встречалось никогда.

И до того момента Найл уже интуитивно предполагал, что может вскрыться какая-то ошеломляющая новость, для этого были вполне определенные предпосылки — живая природа, существующая на интуитивном уровне, всегда обостренно ощущала грядущие, подступающие катаклизмы, а Найл с детства обладал способностью на ментальном уровне ощущать подобную пульсацию.

Проникая мысленным взором во внутреннюю жизнь насекомых и птиц, деревьев и кустарников, он всюду улавливал панические предчувствия, поэтому был внутренне готов к самому худшему.

Да и события, разворачивавшиеся вокруг Города, никак не настраивали на радужный, оптимистический лад.

Наводнение следовало за наводнением, разрушая старые постройки и оставляя сотни людей без крова, по улицам нещадно хлестали мощные пылевые бури, унося с собой человеческие жизни.

В довершение ко всему ожил древний вулкан, испепеливший под яростным слоем раскаленной лавы не только Жемчужные Врата, загородную резиденцию Главы Совета Свободных людей, но и любимых племянников Найла, задорных мальчишек по имени Улф, Торг и Хролф, в одно мгновение погибших вместе со своей матерью,— тогда Вайг, старший брат Найла, в один час потерял и свою жену Гезлу и троих сынишек.

Не успели братья осознать всю горечь потерь, как на Город обрушилось новое испытание — чудовищной силы землетрясение, расколовшее почву в одном из густонаселенных кварталов, как орех!

Но, как это порой бывает, именно катаклизм распутал неразрешимый узел, именно разрушительное землетрясение помогло разгадать одну страшную тайну, долгое время мучившую не только Найла, но и всех горожан — тайну кровавых преступлений, многочисленных и необъяснимых по своей жестокости...

ГЛАВА ЧЕТВЕРТАЯ

Цепь невероятных преступлений обрушилась на него в буквальном смысле, словно снег на голову. Все началось однажды мерзким зимним вечером, примерно за полгода до известия о возможном столкновении с кометой Харибда.

В конце рабочей недели усталый Найл решил собраться со своими мыслями. Он уединился в одном из просторных помещений своего Дворца, в том самом зале, где совсем недавно приказал отреставрировать старинный, древний, столетиями не использовавшийся камин.

Снаружи завывал пронзительный ветер, в продолговатых окнах чернел промозглый вечер.

Зима в том году выдалась на удивление суровой и, вдобавок ко всем испытаниям, улицы Города завалило густым снегом, что, как припомнил Найл, случилось всего второй раз за последние десять лет. Никто не смог бы считать его суеверным человеком, но когда за несколько часов улицы и площади Города оказались забинтованы белой вьюгой, от неясного предчувствия беды у него противно засосало под ложечкой.

Казалось, в тот вечер все горожане и все пауки-смертоносцы постарались укрыться в своих жилищах.

Все попытались защититься от внезапно нагрянувших морозов, улицы стремительно опустели, и Город словно вымер...

* * *

Как и каждого нормального человека, Найла невольно в тот вечер потянуло к огню. Он велел затопить камин, чтобы устроиться перед ним в простом, грубом деревянном креслекачалке, сплетенном из толстых ветвей душистой араукарии и покрытом непритязательной накидкой из ворсистой шкуры гигантской гусеницы.

Весь вечер еще был впереди. Он расслабленно потягивал теплый хмельной мед из глиняного бокала с толстыми краями и разглядывал толстенное полено, потрескивавшее в огромном, в рост человека камине.

В ненасытной огнедышащей прямоугольной пасти лежало даже не полено, а целое бревно, кряжистый ствол огромной, поваленной недавней бурей катальпы, который с трудом притащили с улицы четверо здоровенных широкоплечих охранников и целиком бросили на прогретые плиты.

Над головой Найла стремительно и бесшумно мелькнула какая-то объемная тень. Краем глаза он заметил движение, но даже не встрепенулся потому, что прекрасно знал, что сверху, из темноты высокого потолка, на эластичной нити бесшумно и стремительно спустился массивный паук. Серый пустынник по прозвищу Хуссу, давний спутник Найла, уже несколько лет всюду сопровождал Главу Совета Свободных.

По сравнению с громадными, гигантскими пауками-смертоносцами Хуссу выглядел, может быть, и довольно невзрачно.

Однако рядом со своими давними предками, обыкновенными пауками, обитающими на Земле в двадцатом столетии, он выглядел бы настоящим великаном, колоссальным монстром.

Туловищем пустынник не особенно удался, вместе с головой оно не превышало и полуметра, но зато его мохнатые голенастые лапы вымахали просто огромными,— стоило ему только раскинуться на поверхности, как он мог спокойно охватить расстояние длиной метров в пять.

Благодаря своей удивительной способности складывать лапы и уменьшаться в размерах паук не только ходил по коридорам и лестницам, но и вполне мог передвигаться по эксплуатационным шахтам, с древних времен пронизывающих стены дворца. Он мог внезапно появиться в любом месте Дворца, бесшумно спустившись с потолка.

Вот и в этот вечер Хуссу тихо возник в зале, “сложился” и устроился рядом с креслом-качалкой, как домашнее животное.

“Ага, пожаловал...— связался с ним Найл на ментальном языке.— Где пропадал так долго, дружище?”

Он немного лукавил со своим вопросом, ему было прекрасно известно, что несмотря на холода, последние несколько дней выдались для паука жаркими,— восьмилапый провел их с молодой “симпатичной” паучихой в одной из густых фисташковых рощ, окружавших южную окраину Города.

Фисташковые деревья почему-то издревле привлекали пустынников и служили местом их обитания, так что Хуссу с некоторых пор приходилось разрываться между тишиной далекой рощи и гвалтом дворца, стоящего в самом центре шумного Города.

“Услышал тебя. Тут огонь. Свет,— короткими импульсами откликнулся пустынник.— Там нет. Среди деревьев нет света.”

Все восемь паучьих глаз внимательно наблюдали за пламенем,— пара основных, центральных глаз смотрели прямо на языки колышущегося огня, а боковые периферийные зрачки жадно ловили отблески, мельтешащие на трех стенах.

С массивных челюстей свисали бурые складки, напоминавшие багровые, румяные щеки толстяка, а жесткий ворс, покрывающий паучье туловище, буквально вставал дыбом и подрагивал от удовольствия.

Бугристое, шишковатое бревно, лежавшее на толстом слое пепла и углей, горело медленно, в течении всего вечера.

Скользя отсутствующим взглядом по неровной, обугленной, изрытой огненными впадинами поверхности катальпы, Найл мысленно витал далеко отсюда, во временах своей молодости.

К роскоши, как таковой, он всегда был безразличен.

Да и какое представление о комфорте может быть у человека, несмотря на высокое положение в глубине души все время ощущавшего себя босоногим мальчишкой из жаркой хайбадской пустыни?

Но к каминам он всегда питал симпатию,— полыхающий домашний очаг всегда, еще со времен жизни в глубокой пещере, служил для него символом неизъяснимого тепла и домашнего уюта и пробуждал светлые воспоминания о прошлом. Поэтому через много лет, уже превратившись в Правителя Города, Найл позаботился о том, чтобы восстановить старинный заброшенный камин в одном из залов своей резиденции.

Он с самого раннего детства прекрасно помнил, как взрослые по вечерам всегда вели неторопливые разговоры, глядя на огонь, как они вспоминали прошлое, делясь друг с другом разными занятными случаями из своей жизни.

Найл вместе с сестрами и со старшим братцем Вайгом обычно устраивался неподалеку, у нагретых грубых стен пещеры, с удовольствием слушая все новые и новые увлекательные истории.

Так у примитивного очага он впервые узнал от деда Джомара о жестокости и вероломстве пауков-смертоносцев, о его невероятном побеге из плена; именно с тех пор в память Найла врезалась история Великой Измены, история гнусного предательства одного подлеца, на долгие годы обрекшего человечество на жалкое рабство и на подчинение паукам-смертоносцам.

В этот зимний вечер Найл перебирал в памяти страницы прошлого и отдыхал в своей резиденции.

Багровый хаос, бушующий в камине, отбрасывал пляшущие отблески на грубые кирпичные стены, на лоснящиеся, навощенные черные мраморные плиты пола и на подмерзшие окна.

Вокруг стояла тишина, прерываемая лишь свирепым завыванием холодного ветра в трубе, да приятным шипением огромного бревна, полыхавшего в камине.

2 Зак. 3230

По жилам уже легким теплом разливался слабый хмельной мед, а в кувшине еще вдоволь оставалось ароматного напитка, к тому же на глиняном блюде горкой лежало лакомство,— белые тонкие пластики сыра, ювелирно тонко покрытые эмалью янтарного меда диких пчел.

На душе становилось все спокойнее. Казалось, этот вечер должен был вырвать его из бесконечной череды будничных забот.

Неприметная расслабленная улыбка играла на его губах, но тут внезапно небольшой зал наполнился звуком требовательного стука в дверь.

Сердце Найла сжалось от неприятного предчувствия, и лицо вытянулось от разочарования.

По своему опыту он уже знал, что подобный неожиданный стук не может предвещать абсолютно ничего хорошего. С сознанием Хуссу он давно был связан незримой телепатической нитью, поэтому сразу чутко уловил тревожный импульс, исходивший снаружи и взбудораживший спокойное состояние паука-пустынника.

Резко откинувшись на спинку кресла, Найл взялся за тонкую золотую цепочку и медленно развернул медальон, зеркальный овал величиной с ноготь, висевший на груди.

Ментальный рефлектор, настроенный до этого на полное успокоение, изменил вектор энергии, тут же отозвавшийся в мозгу яркой вспышкой. В такие моменты стремительного перехода от расслабленной рефлексии к активности Найл всегда испытывал слегка болезненные ощущения, вызванные напором ослепительного матового света, мощно озаряющего все секторы сознания.

Стук повторился снова.

— Кто там...— глухо отозвался Найл, невольно морщась под сильным действием медальона, в одно мгновение изменившего направление психических потоков.

Через секунду на пороге возникла мощная широкоплечая фигура Джелло, начальник дворцовой охраны. Здоровяк Джелло зашел внутрь, почтительно склонил голову и остановился в десятке шагов от плетеного кресла, ожидая, пока правитель обратит на него внимание.

— Что тебе? — едва слышно спросил Найл.

— Приветствую Главу Совета Свободных,— пророкотал охранник традиционную фразу и выжидательно замер.

— Судя по всему, какое-то происшествие? — проницательно заметил Найл и прикоснулся к медальону.

Он снова откинул голову назад и едва заметно втянул воздух ноздрями, потому что грудь словно стиснули незримые тиски, а во внутреннюю сторону затылка впились бесчисленные острые иглы.

Яркими лучами точно осветились все углы рассудка и концентрированная мысль, освободившаяся от оков, мгновенно протянулась в сторону начальника охраны, пытаясь обнаружить источник беспокойства.

Не первый день Джелло служил при Дворце Главы Совета Свободных, поэтому знал, что никогда в разговоре в правителем не следует суетиться.

Он знал, что тот обладает достаточными способностями для того, чтобы определить степень важности возникших дел. Давно уже золотым правилом стало неторопливое, спокойное изложение сути всех проблем.

Поэтому начальник охраны не бросился сразу лихорадочно выкладывать все, а терпеливо ждал около камина, внимательно поглядывая на Главу Совета Свободных и украдкой вытряхивая на пол липкий снег, набившийся в бесчисленные складки грубой, но теплой туники.

На Найла смотрели его большие, проницательные глаза, наполовину прикрытые тяжелыми, набрякшими веками. Все знакомые Джелло знали, что несмотря на кажущуюся меланхоличность и бесстрастность, эти глаза подмечали каждую мельчайшую деталь, и от их пытливого взгляда невозможно было укрыться.

— Слушаю тебя. Говори! — наконец прервал молчание Найл, когда суть дела ему в общих чертах была ясна.— Ты пришел рассказать мне о каком-то несчастье? Я правильно понял?

— Совершенно верно,— кивнул головой угрюмый охранник.— Дело очень серьезное... Если завтра об этом узнают горожане, на улицах могу начаться беспорядки...

— В чем же дело? — просил Найл, упрямо поджав губы.— Почему в Городе происходит нечто серьезное, а Глава Совета Свободных ничего об этом не подозревает?

— Я ни в чем не виноват! — недовольно буркнул Джелло.— Сам только недавно обо всем узнал...

— Так в чем же дело? Говори...

Тихий спокойный вечер был явно загублен, и Найл, не в силах сидеть, легко вскочил с кресла-качалки.

Хуссу настороженно встрепенулся, мгновенно расправил лапы и принял боевую стойку.

— Пусть лучше расскажет сам пострадавший,— предложил Джелло.— Я только привез его сюда... Пусть сам и объяснит, почему раньше не говорил...

— Кого ты оставил за дверью? — недовольно нахмурил брови Найл.— О ком ты говоришь?

— Его зовут Имро, Имро Сапожник. Он живет в квартале простолюдинов, в самом конце, у реки... сейчас он в приемной, вместе с доктором... ему было плохо, и доктор помогал бедняге...

— Пусть заходит. Зови его,— отрывисто приказал Найл и сделал внушение.— Ты должен был сразу зайти вместе с этим Имро! Почему ты держишь в соседней комнате человека, у которого что-то случилось?

— Порядок есть порядок... К правителю нельзя так просто заходить... это же не мясная лавка! — глубокомысленно бросил Джелло, направляясь к входной двери.

Через несколько секунд в жарко натопленном зале появились два человека, разительно непохожие друг на друга.

Первым в дверном проеме показался Симеон, прекрасный врач и давнишний друг Найла.

Несмотря на почтенный возраст, от фигуры Симеона веяло невероятной энергией и добрым душевным здоровьем.

Густые растрепанные черные волосы, в которых уже давно начала пробиваться седина, скрывали его лоб почти до самых глаз. Своеобразной преградой, отделявшей непокорную шевелюру от глаз, служили мохнатые серебристые брови, изломанные “домиком”. Пышные седые усы и большая, белая густая борода, почти скрывали остальные части лица и из этой буйной белоснежной растительности торчал только очень заметный нос,— типичный нос древнеримского патриция, с рельефной горбинкой, напоминающей крупную фасолину.

Рядом с пожилым, но полным сил врачом стоял бледный, тщедушный человек значительно моложе его,— пожалуй, лет тридцати пяти, сорока. Но почему-то именно от его внешнего облика веяло какой-то старческой вялостью.

С первого взгляда было заметно, что у понурого незнакомца было безвольное, мягкое лицо рохли и размазни, совершенно лишенное той значительности и внутренней силы, какая чувствовалась в каждой черте благородного лица Симеона.

— Желаю доброго вечера Главе Совета Свободных! Прошу прощения, что побеспокоил в столь поздний час... Меня зовут Имро...— слабым голосом представился незнакомец и нерешительно подошел ближе.— Меня зовут Имро, по прозвищу Сапожник...

Вдобавок ко всему, он еще и заметно прихрамывал, как-то странно припадал на левую ногу, отчего при ходьбе правая рука постоянно вскидывалась, словно птичье крыло.

Было видно, что Имро сильно продрог на морозе, его тщедушное тело прикрывала только обыкновенная длиннополая туника, а на голове нелепо торчала заиндевевшая круглая шапочка, скроенная из легкого паучьего шелка.

— Подойди ближе к огню, уважаемый Имро! Давай присядем, не стесняйся, присаживайся...— пригласил его Найл и участливо спросил: — Что случилось с твоей жизнью, честный горожанин?

Они втроем подошли к углу и опустились в кресла, окружавшие толстую колоду столетней пальмы, служившей своеобразным столом.

— Что случилось с тобой? — повторил Найл, внимательно рассматривая своего позднего гостя.

— Я... а-ах...— из слабой впалой груди Сапожника только вырвался тяжелый вздох, и он замолк с мучительной гримасой на унылом лице.

Возникла напряженная пауза, во время которой было видно, как нелегко ему было вымолвить даже первое слово. В плотной, сгущенной тишине слышалось лишь его сдавленное дыхание да потрескивание бревна катальпы в камине.

— Дело в том...— снова начал он слабым голосом и вдруг зажмурился, словно заметив в противоположном углу комнаты нечто ужасное.

— Говори же, говори, не бойся...— мягко заметил Найл.— Ты находишься среди друзей...

— Дело в том, что у меня пропали дети...— дрожащими губами наконец смог вымолвить Имро свое ужасное признание.— У меня исчезло двое сыновей! Мои мальчишки потерялись и я не могу найти ни одного следа! О, я не знаю, что же мне делать. Они... Как же я без них...

Сапожник вдруг согнулся, сдвинул с макушки, покрытой редкими волосами, свою круглую шапочку и уткнулся в нее лицом.

Плечи его затряслись от рыданий и возникло ощущение, что он не сможет больше произнести ни слова.

Никак Найл не мог привыкнуть к тому, что плачут мужчины. Возможно, потому что он знал, как губительно всегда действовали слезы на их чувство собственного достоинства. Возможно, потому что сам почти никогда не плакал в детстве...

Все-таки слезы были несовместимы с суровой жизнью хайбадского мальчишки, вынужденного постоянно скрываться в зарослях гигантских кактусов-цереусов от воздушных шаров пауков-смертоносцев.

Между тем Имро, оторвавший от глаз свою шапочку из паучьего шелка, попытался продолжить свой рассказ, но снова его горло точно перехватил какой-то невидимый обруч.

Мокрое лицо Сапожника поблескивало в сполохах пламени, лицо превратилось в сплошную скользкую маску.

Бросив на Симеона выразительный взгляд, Найл предложил врачу:

— Помоги как-нибудь этому честному горожанину! Пока я ничего не понял, но если так пойдет и дальше, нам придется разговаривать целую ночь, чтобы узнать подробности о его несчастьях!

Доктор послушно кивнул и ослабил тугую шнуровку на горле, откинув назад капюшон туники, плотно облегавший до этого его лохматый затылок.

Сшитая из очень плотной шкуры лесной тысяченожки, эта туника надежно защищала Симеона не только от палящего зноя пустыни и проливных ливней Дельты, способных свалить с ног человека, но и от пронизывающих ледяных ветров со снегопадами, неожиданно обрушившихся зимой на Город.

Кроме того, Найл прекрасно знал, что с внутренней стороны этой незаменимой туники располагались специальные карманы, хранящие множество предметов, необходимых врачу.

Найлу не было известно до конца содержимое всех отделений, назначение пары десятков небольших фляжек и пузырьков с витыми спиральными горлышками оставалось пока неизвестно ему.

Он знал только, что часть бутылочек торчавших из небольших внутренних кармашков, содержит лечебные экстракты паучьих ядов и соков самых разных растений Дельты, а другая часть, прячущаяся в кармашках широкого кожаного пояса, стискивающего крепкий живот доктора, представляет собой мощное противоядия от укусов самых разных хищных насекомых.

Еще можно было с точностью сказать о перевязочных бинтах и жгутах из прочной паутины, о тонких металлических ножах-скальпелях, да о шипах кактуса-опунции.

Симеон, давно постигший тайны древней китайской методики, всегда для иглоукалывания использовать шипы опунции, от природы обладавшие сильнейшим целительным действием.

Только после того, как врач откупорил одну из своих бутылочек и поднес ее горлышко к мокрому носу рыдающего Имро, сапожник пришел в себя.

Он лишь едва втянул ноздрями какое-то необычное вещество, находившееся в сосуде, как лицо его разгладилось, и через несколько мгновений глаза приобрели сосредоточенное выражение.

Даже сквозь ощутимый запах древесного дыма, слабо выбивающегося из огромного камина, до Найла донесся удивительный аромат, заключенный в затейливой фляжке. В воздухе неуловимо запахло чем-то сладким, тягучим, даже приторным,— чем-то медовым...

Тут же, еще раз принюхавшись к необыкновенно приятному аромату, он все определил! Память Найла подсказала ему, что в бутылочке находится раствор сока ортиса,— того самого легендарного растения, которое в свое время спасло жизнь многим обитателям пустыни, однако многих из них и погубило окончательно.

В небольших порциях сок приносил легкое забвение, раскрепощение и душевную свободу, помогая бороться со страхом перед пауками-смертоносцами, но стоило немного переборщить, как медовый аромат обрекал человека на верную гибель. Иногда люди настолько привыкали к дурманящему вкусу этого хищного, плотоядного растения, что становились вялыми, сонными, безразличными ко всему, и жизнь их заканчивалась печально.

Легкая доза раствора ортиса помогла несчастному Имро прийти в себя. Он глубоко вдохнул еще несколько раз из пузырька, потянулся было еще, но Симеон, заметив этот интерес, неумолимо захлопнул горлышко плотной крышкой.

— Можно мне еще...— взмолился Сапожник, провожая жадным взглядом фляжку, исчезающую в одном из карманов необъятной туники.— Хотя бы немного, хотя бы чуток! Мне это так помогло! Пожалуйста... прошу вас...

— Действительно, помогло,— внушительно пробасил Симеон.— Только больше не нужно. Мне совершенно не хочется, чтобы вскоре ты, честный горожанин, забыл обо всем и заголосил веселые песни...

Разгладившееся было лицо Имро снова в одно мгновение исказилось горестной складкой. Он словно опять вернулся в действительность из дурманящего мира ортиса, и Найлу показалось, что в любой момент Сапожник может вновь зарыдать.

— Ты начал с того, что у тебя пропали сыновья...— мягко напомнил Найл.— Расскажи нам все подробно... что же случилось с твоими детьми?

ГЛАВА ПЯТАЯ

Сосредоточившись наконец, несчастный отец смог отвечать на вопросы. Однако связно он говорить все равно не мог, то и дело сбиваясь на нечленораздельные возгласы и всхлипывания.

— Они ушли в гости два дня назад, и с тех пор их никто не видел! — горестно воскликнул Имро.— Мои бедные мальчишки, где вы! Где вы!..

— Прекрати! Возьми себя в руки! — сурово гаркнул за его спиной Симеон, испугавшись, что Сапожник опять затрясется в истерике.— Ты находишься в зале Главы Совета Свободных! В зале Правителя нашего города!

Видимо, внушительные интонации, отчетливо прозвучавшие в голосе врача, подействовали на Имро не хуже раствора ортиса, потому что он вздрогнул, с готовностью кивнул и, напряженно сморщившись, начал рассказывать:

— Мои мальчишки иногда не приходили домой ночевать и раньше. Такое случалось, но мы с женой никогда не волновались. Мы точно знали, что ребята ночевали у своих друзей, у сыновей моего хорошего приятеля по имени Флод... Мы с детства дружили, потом женились, обзавелись семьями, и наши дети тоже стали товарищами. О чем еще можно было мечтать? Мои пострелы иногда уходили в дом Флода и там оставались на ночь, чтобы не тащиться в темноте... Порой его шалуны так заигрывались с моими, что не возвращались домой, а получали спальное место у меня в доме. Всем было весело, а мы с Флодом только радовались, глядя на такую дружбу!

Судя по всему, отведавший ортиса Сапожник настроился на лирический лад и был намерен открыть Главе Совета Свободных всю незамысловатую историю своей дружбы. Обменявшись с Симеоном выразительными взглядами, Найл вежливо, но твердо перебил хромого:

— Ты хорошо говоришь, только у нас очень мало времени... Ответь мне на такой вопрос: на этот раз твои дети снова пошли в дом Флода?

— Да! Да, они отправились туда два дня назад!

— Может быть, ты зря пугаешься? Не думаешь ли ты, честный горожанин, что твои сыновья ничуть не пострадали, а по-прежнему играют в своей закадычной компании?

— Нет...— внезапно перешел на шепот Имро, точно вернувшись мысленно к чему-то страшному.— Ребята исчезли... и пропали не только они... но и...

От ужаса, завладевшего всем его сознанием, он приложил ладонь ко рту, глаза его вдруг расширились, и Сапожник снова умолк.

— Говори! Говори немедленно, слизистый червяк! — не выдержал суровый Симеон.— Что же случилось с твоими детьми? Говори, безмозглая медуза!

— Сегодня вечером я пошел за ними к Флоду...— едва справляясь с рыданиями, жалобно продолжил Имро.— Но оказалось, что их там нет...

— Что же сказал твой друг? Что тебе ответил Флод, когда ты пришел к нему? — спросил Найл, сдвинув брови.— Когда твои дети ушли от него?

— Ничего Флод мне не ответил! — зашелся в беспомощном крике Сапожник.— Флод и не смог бы мне ничего сказать потому, что сам бесследно пропал! Он исчез не только вместе с моими детьми, но и со своими детьми, и, вдобавок, вместе со своей беременной женой!

* * *

Дом, принадлежавший Флоду, располагался в Квартале Простолюдинов, что на самом краю Города, в юго-западном секторе.

Время было уже позднее, дело близилось к полуночи, но Найл, не раздумывая, решил отправиться в те края. Он захватил с собой, кроме Сапожника, еще и Симеона, а также троих человек из охраны под командованием Джелло.

На улице стоял необычайный для здешних мест мороз.

Не переставая валил снег, с неба слетали большие, почти невесомые белые кристаллы, которые все падали и падали, покрывая землю толстым слоем колючего порошка. Зимняя тьма поглотила спящий Город, казавшийся в этот час таким же необъятным, как и низкое небо, нависшее над вершинами гигантских небоскребов.

Сквозь заиндевевшие окна повозки слабо различались силуэты зданий с погасшими окнами.

Гужевые с трудом преодолевали каждый метр обледеневшей дороги, а Найл, кутаясь от холода в накидку из вонючей овчины, пытался сосредоточиться на происходящем и осмыслить услышанное.

Картина происшедшего была ему еще не совсем ясна, а от плаксы Сапожника добиться большего пока никто не мог.

Из всех его всхлипываний, бессвязных выкриков и рыданий стало понятно, что, оказывается, пропали не только его любимые дети, но и целая семья, большая семья.

Это, хотя и с трудом, удалось выяснить у хромоного Имро. Только что за этим скрывалось?

На этот вопрос у Найла пока не находилось ответа.

Хотя в первый же момент, узнав о случившемся, он поймал себя на очень неприятной мысли,— в его душу закралось чудовищное подозрение: не вернулся ли кто-то из пауков к прошлому, к охоте на людей? Не вступил ли кто-то из восьмилапых на тропу кровожадного паука-людоеда Скорбо, занимавшего очень высокий пост и служившего некогда начальником стражи у самого Смертоносца-Повелителя?

Хотя все происходило давно, более десяти лет назад, хотя все и осталось в далеком прошлом, память Найла с отвращением хранила самые гнусные подробности тех дней...

Запах человеческой плоти, аромат теплого свежего человеческого мяса столетиями оставался для пауков самым желанным деликатесом, но по условию Договора, смертоносцы должны были навсегда отказаться от этого.

Но один из смертоносцев, именовавшийся Скорбо, вместе со своими сообщниками, несмотря ни на что, тайком продолжал пожирать человечину. Под покровом темноты внезапно нападая на мирных, ничего не подозревающих городских жителей, пауки похищали их и парализовали волю ядом. Потом, опутав влажным шелком, тайными путями волокли добычу в мрачную кладовую, в заброшенный склад, приютившийся где-то на северной окраине Города.

Жертвы, ни в чем не повинные горожане, не умирали, а долгое время безучастно ждали смерти, ждали своей очереди быть сожранными живьем.

Да и что они могли сделать, как могли сопротивляться, в полном сознании существуя внутри липкого кокона и не имея возможности шевельнуть даже пальцем?

Спеленутые тела нескольких десятков еще живых людей, безропотно висящих вверх ногами под сводами темного паучьего бункера... эта чудовищная картина настолько сильно врезалась в сознание Найла, что отделаться от подобного воспоминания было нелегко даже через десять лет.

Поэтому пробираясь по ночному застывшему Городу к дому пропавшей семьи Флода, он никак не мог отделаться мыслями от этого ужасного случая...

ГЛАВА ШЕСТАЯ

В отличие от центральной части Города, представлявшей собой скопище огромных черных столпов-башен, юго-западные районы издавна застраивались одноэтажными ветхими домишками с плоскими крышами, служившими жилищами для самых непритязательных горожан.

Здесь селились со своими семьями разнорабочие, уборщики улиц, грузчики, мелкие ремесленники,— публика хоть и простая, но дружная и веселая.

Несмотря на тесноту и скученность домиков, эти районы с ранней весны до поздней утопали в зелени, возле каждого домика цвел сад и был разбит небольшой огород, где на грядках росли какие-нибудь неприхотливые овощи.

Обильный снегопад не прекращался. Когда Найл со своими спутниками прибыл на место, то обнаружил, что невзрачная хибара Флода уже засыпана сугробами почти до середины окон.

Плоская крыша, неприспособленная для суровой зимы, казалось, уже прогибалась под тяжестью снега.

Все выбрались из повозки и остановились у проема калитки.

В руках охранников вспыхнули яркие креозотовые факелы, а Найл включил газовый фонарь, узким направленным лучом пробивавший зимнюю тьму на несколько десятков метров вперед.

— В этом доме живет Флод? — спросил Джелло, поднимая над головой трещащий на морозе факел и вглядываясь в темноту.— Ты не ошибся?

— К-как я м-могу ошибиться... я з-знаю это место много лет... я прихожу сюда с д-д-детства...— жалобно проблеял потерянный Сапожник.

Хромоногий дрожал всем телом от холода и от ужаса. Он топтался у повозки, не решаясь пройти дальше.

— Ты стучал в дверь? Ты пробовал их разбудить?

— Яп... яп... яп...— спотыкался он на словах, выпучив глаза.— Я п-пробовал...

— Хватит! Иди вперед!

— Только я не м-могу идти с вами! М-можно, я п-подожду з-з-здесь? — шлепал посиневшими губами Сапожник.

— Почему? — хмыкнул невозмутимый Джелло.— Ты ведь хочешь разыскать своих детей?

— Не м-м-могу! Яп... яп... яп... я п-пробовал уже... М-мнес... мнес... мне с-страшно... с-страшно...

— Чего ты боишься, честный горожанин? Смотри, как нас много! Какие медведи вокруг тебя! Рядом с такими можно ничего не страшиться! — гулко пробасил Симеон, согревая у пламени факела скрюченные от холода пальцы.

— Мнес... мнес... мне с-страшно...

— Скорее всего, ты просто выпрашиваешь очередную порцию ортиса...— проницательно заметил врач.— Признайся честно, тебе сейчас очень хочется вдохнуть из заветной бутылочки?

Тщедушного Имро трясло, зуб у него не попадал на зуб, и он только отрешенно повторял:

— Н-не н-нужно больше ортиса... М-мне с-страшно... с-страшно...

— Перестань, дружище! Брось хныкать! Пойдем с нами!

Суровый Джелло двинулся вперед, легко удерживая в одной руке тяжеленный деревянный факел.

Чтобы морально поддержать хромоногого, начальник охраны легонько хлопнул его свободной рукой, звучно шлепнув заскорузлой ладонью по согнутой спине.

Только этого вполне хватило для того, чтобы тонкие трясущиеся ноги Сапожника сначала подломились в коленях, потом его повело в сторону и Имро чуть не зарылся носом в здоровенный сугроб.

Тем временем Найл, вместе с одним из охранников, в числе первых преодолел засыпанную снегом дорожку и приблизился к небольшой хибаре.

Узкие окна были темны, стекла абсолютно замерзли, и за белыми кристаллическими узорами нельзя было уловить ни одного признака жизни.

Дверь оказалась крепко заперта. На громкий стук никто не реагировал.

— Послушай, честный горожанин, почему ты решил, что все они пропали? — на всякий случай спросил Найл, хотя сердце его уже вовсю тревожно ныло от предчувствия беды.— Они, скажем, могли пойти еще к кому-нибудь в дом... печной трубы тут что-то не видно, значит очага нет. Внутри было холодно, и они решили погреться у соседей... Могло такое случиться?

— В д-д-доме н-н-никого н-нет... а д-дверь заперта изнутри — стуча зубами, но очень убежденно отозвался Имро.— В-в-се они куда-то п-п-ропали...

— Ты заходил внутрь?

— Н-нет... д-д-верь з-заперта изнутри...— повторил Сапожник, внутренне содрогаясь от ужаса.

— Как же ты, честный горожанин, понял, что в жилище никого нет? — удивился Найл. — Ты спрашивал у соседей, когда они в последний раз видели Флода вместе с остальными?

— С-спрашивал... п-прошлым в-вечером в-все еще были т-т-ам...

Ничего вразумительного от него больше нельзя было добиться.

Сапожник опять впал в неуправляемое состояние и лишь уныло бубнил про то, что ему “с-страшно, а д-дверь закрыта с в-внутренней стороны...”.

Громкий стук не дал никаких результатов, поэтому Найл приказал взломать дом.

Хлипкая дверь в два счета поддалась напору его широкоплечих охранников, достаточно было лишь пары основательных ударов, чтобы створка распахнулась внутрь, обнажив зияющую черноту неосвещенного прямоугольного проема.

В глубине души Найл еще рассчитывал на чудо, но спустя несколько мгновений эта надежда бесследно растаяла.

Мало того, что в доме и в самом деле не обнаружилось ни одной живой души, здесь был чудовищный беспорядок. Газовый фонарь и креозотовые факелы высветили картину ужасающего разгрома, царившего в этом скромном жилище...

Казалось, что кто-то специально вознамерился не оставить внутри ни одной целой вещи!

На полу валялся весь нехитрый бедняцкий скарб, вывороченный наружу с полок и из напольных ларей, при том, что каждая вещь была безжалостно разодрана в клочья...

Дощатый пол усеивали бесчисленные осколки глиняной посуды, между которыми валялись обломки примитивных детских игрушек.

Головы и туловища деревянных кукол-солдатиков были разбросаны по всей комнате, точно здесь прошла самая настоящая, нешуточная битва.

Пока Найл со своей свитой в недоумении рассматривал картину разрушения, сзади, за их спинами на пороге дома возникла нелепый силуэт, в неверном свете появилась темная фигура хромоногого Имро.

— Ч-что это... что это з-за п-пятна...— раздался его слабый дрожащий голос.

— Какие пятна? — глухо спросил Найл.— Где ты их видишь?

— Т-там... н-на д-д-дальней с-стене...

Желтоватый круг света, выбивавшийся из круглого экрана газового фонаря, переместился в противоположный конец комнаты и обозначил многочисленные темные капли, раскинувшиеся веером по стене и отчетливо виднеющиеся на светлой вертикальной поверхности.

Симеон подошел ближе, чтобы присмотреться. Послюнив кончик пальца, он потрогал странные узоры и зачем-то понюхал. Потом провел еще раз рукой и что-то невнятно пробормотал себе под нос.

Все замерли в ожидании.

— Ну? Что ты скажешь? — не выдержал Найл.

— Как врач, я могу со всей уверенностью утверждать, что это следы запекшейся крови,— медленно и сурово сообщил Симеон.— Будь я проклят, но тут никак нельзя ошибиться. Можно точно сказать, что вся эта стена почти до потолка забрызгана человеческой кровью...

От этого известия сначала все точно окаменели, а потом стали судорожно осматриваться кругом, высвечивая тьму креозотовыми факелами. Оказалось, что и другие стены от пола до самого потолка запачканы точно такими же пятнами.

— Это тоже кровь...— подтвердил Симеон.— Прах меня побери! Просто какое-то наваждение... Все вокруг залито свежей кровью...

Несмотря на жуткий холод, от подобного открытия Найла бросило в жар. Стараясь силой воли остудить себя, он едва слышно прошептал:

— Я не ошибся... это кто-то из пауков-смертоносцев... пауки напали на этих несчастных горожан и утащили всю семью Флода, они уволокли их вместе с детьми хромоногого...

Со стороны входа раздался оглушительный шум. В первое мгновение никто ничего не понял, но потом стало ясно, что это Сапожник

потерял сознание и свалился на пол. Услышав слова доктора и Найла, Имро упал перед дверью с таким грохотом, точно его невзрачное тщедушное тело от ужасного известия полностью замерзло, отвердело и мгновенно превратилось в сплошной кусок льда...

ГЛАВА СЕДЬМАЯ

С детства Найл обладал мощными ментальными способностями, причем с годами его талант не угасал, а только неуклонно развивался.

Найл начал с малого, постепенно взращивая в себе телепатический дар, пытаясь проникать в сознание каждого попадающегося навстречу существа, будь то неподвижно застывший на своей белесой нити паучок-шатровик или огромный жук-скакун, пробегавший за день расстояния в десятки миль в поисках пищи для своей ненасытной утробы.

Найл со временем не только научился внедряться в сознание этих тварей, но при желании смог взирать на окружающий мир их глазами, причем мог делать это, находясь очень далеко.

Обнаружив кровавые следы в жилище бесследно пропавшего вместе со всей семьей Флода, он вскипел от ярости и тут же решил было вызвать на связь Смертоносца-Повелителя, чтобы потребовать решительного объяснения, но, к счастью, вовремя одумался и решил повременить.

Благодаря своим способностям, Глава Совета Свободных мог бы, при желании, связаться с сознанием владыки восьмилапых в любое время и на любом расстоянии, не встречаясь лично.

Но правила этикета, сложившиеся за десять лет совместного проживания в Городе людей и пауков, требовали для обсуждения важных вопросов только личной встречи, в противном случае подобный поступок можно было расценить как оскорбление.

Поэтому Найлу пришлось отложить неприятную беседу, вернуться во дворец и провести тревожную ночь в ожидании утра.

Спал он очень плохо, сознание постоянно возвращалось к ужасной картине залитого кровью дома Флода.

Он мыслил во сне даже не словами, а первичными образами, старался концентрироваться на одной мысли и постоянно чувствовал какую-то психическую пульсацию, непрекращающуюся нервную дрожь.

Нетрудно было определить источник тревоги и внутренне он уже примерно ощущал, как необходимо действовать в ближайшем будущем.

* * *

Даже перебравшись во дворец Правителя Города, Найл все никак не мог привыкнуть к подушкам. Сначала он по долголетней привычке спал на простой охапке душистой травы-лисохвоста, а потом ему преподнесли подарок,— специальную спальную подставку для головы.

Полированная палисандровая подставка шириной примерно в полметра, сделанная самым искусным плотником из города жуков, ему очень понравилась с первого же мгновения.

Между двумя резными стойками располагался продолговатый вращающийся цилиндр, сплетенный из мягкого мохнатого тростника, и на эту широкую трубку очень удобно было пристраивать голову, обычно раскалывавшуюся от боли и усталости в конце каждого трудного дня.

Незадолго до позднего рассвета его разбудил невыносимый холод.

Как порой случалось и раньше, Найл во сне переместился во времена своего детства, и в этот раз мог точно объяснить, почему это произошло,— только в Северном Хайбаде, в пустынных краях по утрам можно было ощутить на себе такое студеное дыхание ледяного ветра.

Подняв голову от остывшей за ночь подставки, Найл сразу встрепенулся и присел на своем ложе.

Даже в полумраке он мог ощутить на себе пристальный взгляд стеклянистых глаз пустынника Хуссу.

Когда Найл ложился спать, комната была пуста, и на всякий случай по давней привычке он заперся изнутри.

Между тем, не было ничего удивительного в том, что на рассвете Хуссу появился рядом с его кроватью.

Паук, связанный со своим хозяином прочной телепатической сетью, всегда чутко ощущал психическое состояние человека, даже находясь в отдалении.

В эту ночь пустынник ясно воспринимал беспокойные импульсы, пронзавшие сознание Найла, поэтому бесшумно пробрался по узкой эксплуатационной шахте в спальную Главы Совета Свободных и охранял его душевный покой.

Пустынники выгодно отличались от людей тем, что за долгие годы существования в хайбадских краях настолько привыкли к огромным погодным перепадам, что практически утратили чувствительность как к холоду, так и к жаре.

Если днем в Северном Хайбаде все живое изнывало от оглушительного зноя, то стоило солнцу скрыться, как по ночам температура стремительно падала и раскаленное, обжигающее дуновение ветра сменялось его ледяным, студеным дыханием, замораживающим все живое вокруг.

Мороз сковывал всех, кроме удивительно выносливых пауков, не обращавшим на него особого внимания.

Поэтому Хуссу, не обращая внимания на утренний холод, терпеливо сидел в выстуженной за ночь спальне рядом с кроватью и точно отгонял от сознания Найла мучительные переживания.

Стоило Найлу только встрепенуться и приподнять голову, как пустынник тоже сразу шевельнулся, настороженная стойка придавала пауку воинственный вид, он еще не осознавал, что произошло поздно ночью, но уже был готов лететь в схватку и защищать душевный покой своего хозяина.

“Ага, пожаловал... Где пропадал так долго, дружище?“ — на этот раз пустынник послал в сознание Найла традиционное приветствие, которым они обычно обменивались при каждой встрече.

Естественно, что глухой от природы паук при этом никогда не пользовался обыкновенными словами, генерируя динамические образы-понятия из глубинных центров психики. Но, поразительно, каждый раз во время такой телепатической связи у Найла возникало ощущение, что в эти моменты у него в ушах звучит “голос”, причем обладающий своеобразной эмоциональной окраской.

Каждый раз, когда Хуссу передавал в его мозг мысленные импульсы, Найл ясно слышал скрипучий, тягучий, чуть насмешливый и ехидный голос паука.

“Лучше бы я оставался с тобой...— откликнулся Найл.— Лучше бы никуда не ездил...”

“Беда?” — напряженно спросил паук.

“Беда. Похоже, большая беда!”

“Кровь?”

“Много крови...”

“Смертоносцы? — проницательно заметил пустынник тревожно шевельнулся.— Это сделали смертоносцы?”

Ничего удивительного в таком вопросе не было. Последние несколько часов Хуссу сидел у кровати и впитывал бессознательные импульсы, исторгаемые психикой Главы Совета Свободных.

Даже в тяжелом сне Найл не мог отключаться от своих подозрений, и это не могло укрыться от его спутника.

“Кажется, смертоносцы...”

“Будет схватка?.. Будем убивать черноголовых?”

“Не знаю... не знаю...”

“Будем! — неожиданно решительно “выпалил” Хуссу и напряженно прогнулся, расставив могучие лапы.— Будем рвать черных!”

“Пока подожди... пока ничего не ясно...” — Найл постарался охладить его пыл и успокоить своего воинственного друга, готового уже в эту минуту ринуться в схватку с восьмилапыми гигантами.

Ничего удивительного в таком порыве не было.

Еще с далеких времен Вакена Мудрого, легендарного вождя, на равных боровшегося с пауками-смертоносцами, между этими людоедами и пустынниками полыхала непримиримая вражда.

Серые пустынники, значительно уступавшие в размерах, не только никогда не подчинялись жесткой воле черных мохнатых гигантов, но даже открыто выступали против них, зачастую помогая людям во время той древней войны.

Воспоминание о тех временах не исчезало из памяти ни одной из сторон, и по-прежнему пустынники были самыми верными союзниками людей, поддерживая их в минуты опасности.

Обменявшись в конце беседы телепатическими импульсами и выяснив, что в самое ближайшее время Найл не собирается покидать дворец, Хуссу подошел к стене и непринужденно начал взбираться по вертикальной каменной кладке.

Паук перемещался по гладкой холодной поверхности с такой легкостью и простотой, с какой человек передвигался бы по полу, и через несколько секунд таким образом достиг потолка, исчезнув в прямоугольном вентиляционном отверстии-колодце.

Несмотря на беды и мучительные проблемы, природа всегда брала свое,— ни при каких обстоятельствах Хуссу никогда не забывал о приеме пищи.

Как понял Найл из короткого ментального контакта, пустынник и в этот ранний час решил позавтракать, для чего по внутренним

3 Зак. 3230

галереям дворца направился в свою излюбленную вотчину — в специально оборудованный для него скотный двор, расположенный под крышей, в самой дальней части северного флигеля.

В просторных плетеных загонах жили бараны и кролики, гуси и индюки. Они размножались и росли там в прекрасных условиях,— прислуга кормила и поила постоянно увеличивавшееся поголовье, не трогая никого для своих нужд.

Только пустынник имел право на охоту, он всегда мог выбрать себе столько пищи, сколько требовалось его небольшому, но вместительному брюху.

Сверху, из укрытия, устроенного между стропилами крыши, он высматривал для себя лакомый кусочек и утаскивал приглянувшуюся овцу или индюшку, стремительно спускаясь с высокого потолка на прочной нити паутины и поднимаясь с лакомой добычей в лапах.

Все происходило настолько быстро и бесшумно, что порой остальные животные не замечали потерю в своих рядах, животные продолжали невозмутимо поглощать пищу или заниматься любовными играми для увеличения рода.

В это морозное утро, словно предчувствуя надвигающуюся схватку, опытный паук счел самым благоразумным подготовиться к будущим испытаниям.

Прежде всего, для начала он решил основательно подкрепиться и по вентиляционной шахте направился на скотный двор.

ГЛАВА ВОСЬМАЯ

Спальня Главы Совета Свободных выходила окнами на восток. Найл выбрал именно эту комнату потому, что еще со времен жизни в пещере привык просыпаться вместе с появлением первых солнечных лучей.

Но в то утро на приход солнца нельзя было надеяться.

Зимний рассвет заполнял спальную плотным свинцовым светом, тяжелая пелена словно вползала внутрь через заиндевевшие окна и стискивала душу, только усиливая все разраставшуюся тревогу.

В отличии от Хуссу, от переживаний Найл всегда терял аппетит, поэтому с трудом заставил себя позавтракать. Больших трудов ему стоило проглотить горячую лепешку, запив тягучим ароматным отваром из плодов опунции.

После этого он решил, что наступило время связаться с сознанием Смертоносца-Повелителя, находившегося в своей башне-резиденции, и послал в его сторону телепатический луч. Найл едва сдерживал ярость, перед глазами у него все еще стояла залитое кровью жилище Флода, и он откровенно собирался высказать Владыке свое негодование.

Договор, соблюдавшийся уже почти десять лет, был нарушен! Найл чуть ли не задыхался от возмущения и чувствовал, что негодование словно сжимает его голову плотными тисками.

Несмотря на немалое расстояние, ментальные импульсы всегда соединялись мгновенно, и внутренним взором он сразу увидел огромный зал черного паучьего дворца.

Снизу доверху, от каменных плит пола до потрескавшихся балок, поддерживающих потолок, просторное помещение завешивали серебряные нити паутины, покрытыми пушистым слоем многолетней пыли.

За хитросплетениями седых мохнатых тенет тусклое поблескивали восемь красноватых глаз, опоясывающих небольшую сморщенную головку,— владыка черных пауков бодрствовал и сразу откликнулся, причем отозвался не так, как обычно, а с неожиданной для него яростью!

Быстрый гневный ответ Смертоносца-Повелителя пришел как рикошет и выглядел настолько обескураживающим, что Найла словно подбросило на месте. Их контакт обычно начинался традиционным ритуалом, но верховный паук даже и не подумал соблюдать установленный обычай, он настоятельно, без обиняков требовал, чтобы Глава Совета Свободных немедленно прибыл к нему для объяснений!

Давно повелось, что начало каждой телепатической связи начиналось произнесения особых формул вежливости.

Найл всегда обращался к верховному смертоносцу, называя его Повелителем Земли, а паук именовал его Избранником богини Дельты.

Но этим утром нервный, напряженный и взбудораженный контакт обошелся без этих правил приличия. Они общались друг с другом так, словно и не было десяти лет взаимопонимания.

— Меня ждут для объяснений! — с негодованием повторил Найл, надевая теплую тунику — Для каких? Это мы должны ждать оправданий!

Спустя примерно час он в сопровождении своей свиты, включающей Джелло и троих охранников, появился перед черной башней на Главном городском проспекте, уже не одно столетие служившей логовом верховного владыки пауков.

Двустворчатые двери здания были по меньшей мере метров семь в высоту, а по обе стороны от них, в темных нишах, круглые сутки напролет дежурили на страже крепкие бойцовые пауки.

Заметив приближение Найла со свитой, охранники выступили из углублений и застыли в напряженных позах, выражавших полную боевую готовность.

После морозной ночи, проведенной на открытом воздухе, их бурая шерсть словно поседела. Здоровенные мохнатые лапы и выпуклые спины почти обледенели и были покрыты толстым слоем инея.

Тут же Найл отметил про себя дурной знак. Обычно, замечая его, стражники припадали к земле, доказывая свою почтительность. Но в этот раз при его появлении они даже не подумали шевельнуться и только словно нервно напряглись, уставившись на людей круглыми безжизненными глазами.

“Может быть, дело в морозе? — предположил он про себя, чтобы успокоиться.— Они настолько окоченели, что не могут даже согнуться?”

Стоило людям появиться на Главном проспекте, как один из пауков послал внутрь башни телепатический сигнал.

Здоровенные двери в то же мгновение бесшумно распахнулись, и Найл со своими спутниками оказался в просторной передней, из которой вырастала черная мраморная лестница, ведущая наверх.

В передней их встретил еще один стражник, на этот раз не бурый боец, а паук рангом повыше, приземистый черный смертоносец по имени Рессо.

Найл не первый день встречал его во Дворце и был неприятно поражен оказанным приемом.

Рессо уткнулся тяжелым взглядом в гостей и даже не подумал почтительно поклониться, как обычно. Это было поразительно — однако Найла встревожило и кое-что еще.

От паука явно исходила недоброжелательность, его основательные блестящие клыки угрожающе торчали наружу и, казалось, будто он готов броситься на людей в любое мгновение.

“Владыка ждет. Проходите,— сурово метнул стражник телепатический импульс.— Ступайте наверх!”

Про себя Найл отметил, что это очень напоминало приказ, и неодобрительно покачал головой.

Страха он не испытывал, однако в голову настойчиво лезли мысли о нарастающем напряжении и даже о возможном противостоянии.

“Что же, только прошлого не вернешь! — подумал он.— Восьмиглазые ошибаются, если считают, что снова смогут запереть людей в рабских загонах! Никто из свободных не захочет снова напяливать на себя невольничье ярмо, после десяти лет независимости никто не пожелает добровольно приносить себя в жертву!”

Джелло, поднимаясь вслед за своим хозяином по широким мраморным ступеням, недовольно спросил:

— Почему никто здесь не приветствует Главу Совета Свободных? Что, черт возьми, происходит?!

— Пока не понимаю... подождем немного...— едва слышно отозвался Найл.

— Мохнатые раскоряки снова возомнили о себе,— пробурчал за его спиной начальник охраны.— Давно никого из них не косили "жнецом"...

— Перестань же! Прекрати немедленно! — одернул его Найл.— Пока еще ничего не случилось! Мы должны вести себя мирно и соблюдать Договор!

Он хотел верить в лучшее, хотя обманывать себя становилось все труднее.

Найл уже все явственнее ощущал мощные вибрации враждебных волн, исторгавшиеся из раскрытых дверей зала, как все тяжелее становилось сопротивляться приливу ненависти, поднимавшейся из глубины собственной души.

Внезапно на него обрушился шквал неприятных, мучительных воспоминаний. Память, точно отозвавшись на агрессивную пульсацию, мгновенно отозвалась целым рядом картин. В эту секунду Найл, помимо своей воли, вдруг ощутил себя юношей и перенесся в тот памятный день, когда впервые появился в этом черном Дворце.

Здесь было столько тенет, что сквозь их хитросплетения не проникал и самый яркий свет.

Паучьи пыльные сети, мощными каскадами ниспадавшие от сводов к полу, словно вбирали в себя солнечные лучи, поглощая их не пропуская внутрь, но даже сквозь эту густую пелену каждого пришедшего пронзали едва фосфоресцирующие зрачки Смертоносца-Повелителя, взирающего на жертвы из недр увешанного паутиной бездонного омута-коридора.

Тогда, в первый раз, им полностью владели смятение и страх, душу захлестывали волны паники и Найл ощущал свое полное бессилие, находясь перед неумолимым взором паучьего владыки.

Сейчас все было по-другому, сейчас они стояли на одинаковых позициях и общались на равных, однако неприятный шлейф мучительных воспоминаний пронесся в сознании Найла, пока он приближался к главному залу, ощущая нарастающие мощнейшие волевые вибрации.

В тот момент он даже не задавал себе вопрос, не спрашивал себе, что происходит. Сознанием владела только одна единственная мысль — выстоять!

Согласно давнему Договору, люди убрали все смертоносные “жнецы” в надежные арсеналы и, по сути, были оснащены только холодным оружием,— копьями и клинками.

Десять лет все договоренности свято исполнялись, и никому в голову не приходило, что нужно будет доказывать свою силу. Но неожиданно этот момент настал...

Найл подходил к кованым железным створкам дверей и внушал себе, что не стоит поддаваться панике только потому, что в руках нет “жнецов”, и в это мгновение смертоносцы сильнее.

— Нельзя ни в коем случае показать, что ты их боишься,— наставлял он всех своих охранников перед тем, как они прибыли в черную башню.— Даже внутренне нельзя испытывать страх, потому что они сразу это чувствуют. А как ощутят, что ты слаб, только бросят тебя на пол силой воли, припечатают сверху, щелкнут челюстями, и все... никто даже не успеет протянуть тебе руку...

Тем временем они вошли в зал и остановились в центре, как того требовал установленный ритуал.

Неожиданно из серых мохнатых тенет, завешивавших боковые и задние стены, выступили силуэты смертоносцев, застывших в напряженных стойках с трех сторон, сзади и по бокам.

За эти годы Найлу пришлось много пережить, он побывал в самых разных опасных ситуациях и считал себя человеком закаленным, но тут почувствовал, как неприятный холодок мгновенно пробежал по кончикам пальцев.

Пауки окружили людей безмолвным кольцом и настороженно ждали, пронзая пришельцев угрюмыми взглядами.

Найл ощутил на себе мощный волевой напор, излучаемый гигантскими насекомыми, но не дрогнул.

Он обвел глазами свою свиту и, в свою очередь, послал для поддержки каждому из своих спутников мысленный импульс.

— В случае опасности мы возьмемся за руки! — негромко предупредил он.— Тогда наши силы объединятся, и никто не сможет свалить всех вместе на пол!

Хуже всего себя чувствовали Гастурт и Марбус, совсем молодые розовощекие ребята-охранники из его свиты. Они отличались недюжинной физической силой, сноровисто обращались с холодным оружием и владели многочисленными приемами самых разных боевых искусств.

Только впервые воочию столкнувшись с той враждебной мощью, которую могла излучать единая телепатическая сеть смертоносцев, они немного растерялись.

Увидев вокруг себя сомкнувшиеся паучье кольцо, они ощутимо занервничали и стушевались.

— Нашли, кого опасаться, медузы... Держаться спокойно! — хриплым голосом, с нарочитым пренебрежением скомандовал бывалый Джелло.— Головы не наклонять и даже глаза вниз не опускать!

— Слушаемся, мастер! — хором гаркнули они, явно воспряв духом.

Своего начальника молодые охранники очень боялись.

Они боялись сурового взгляда Джелло даже посильнее, пожалуй, чем атак смертоносцев, поэтому сразу приободрились и расправили плечи, услышав его негромкий, но очень внушительный приказ.

Между тем, давление нарастало, и Найл понимал, как нелегко сейчас приходится неопытным ребятам. Каждой клеточкой тела, каждой каплей крови он сам ощущал нарастающее напряжение и думал только о том, каково сейчас его охранникам...

— Ничего не бойтесь! Не показывайте свое сознание и плотно закрывайтесь! — скомандовал он, когда телепатический натиск паучьего кольца еще заметнее усилился.— Не пропускайте ничего внутрь себя, и с вами нельзя будет справиться!

Со стороны могло показаться, что сам он совершенно невозмутим, хотя это было лишь результатом многолетней психологической тренировки.

Внешне Найл оставался спокоен, как и подобает правителю, хотя сознание лихорадочно пыталось найти ответ на один единственный вопрос: что происходит?

На самом деле, в глубине души сам Найл был очень растерян, он не понимал, что же на самом деле творится вокруг...

Почему возникла такая враждебность? Почему до сих пор еще не появился Смертоносец-Повелитель?

В лихорадочно воспаленном сознании под мощным психологическим гнетом пауков вспыхивал яркий свет, рассудок словно распирали напряженные потоки. Несмотря на то, что в зале стояла мертвая тишина, со всех сторон в уши лез неумолчный грохот и скрежет. Нечто подобное чувствовали и остальные, все старались держаться достойно, но время от времени на лицах его спутников появлялись мучительные гримасы.

Внезапно все прекратилось, как по команде.

ГЛАВА ДЕВЯТАЯ

Стих грубый шум, бушевавший до этого в ушах, исчез легкий туман, плававший перед глазами. Давление на людей в одну секунду ослабло, и Найл услышал за своей спиной невольные вздохи облегчения, вырвавшиеся у всех его охранников.

Прямо по центру, за густым пологом древней паутины, вспыхнули зрачки Смертоносца-Повелителя.

Найл в очередной раз поймал себя на мысли о том, как владыка восьмилапых может управлять пространственными впечатлениями окружающих,— паук располагался на небольшом пьедестале, недалеко от пола, примерно на том же уровне, что и люди, но возникало ощущение, что он находится где-то невообразимо высоко. Глядя на Смертоносца-Повелителя, невольно хотелось запрокинуть голову, точно он восседал где-то на возвышающемся утесе.

Джелло и молодые охранники, только что вздохнувшие с облегчением, снова застыли от напряжения. Взгляд, исходивший с завешанного паутиной пьедестала, прожигал их насквозь.

Найл был уверен, что Гастурт и Марбус ни о чем не могли и думать в этот момент. По собственному опыту он мог сказать, что каждый из его спутников лишь ощущает, как невидимые пальцы точно ощупывают его мозг, разворачивают его память, как рукописные свитки.

Без долгих лет тренировки от такого взгляда невозможно было закрыться, от него нельзя было уйти, точно также как от солнечного безжалостного жара в раскаленной хайбадской пустыне.

Наступило время для телепатического контакта, понял Найл. Его раздирала ярость при воспоминании об окровавленных стенах жилища Флода, но он решил сначала сдерживаться и передал традиционную, ритуальную формулу приветствия:

“О, повелитель Земли! Приветствую тебя от имени всех людей!”

Обычно всегда Смертоносец-Повелитель отвечал похожей фразой, но только начинавшейся словами ”О, избранник Дельты!..”

На этот раз, к своему изумлению, Найл не услышал не только подобного почтительного приветствия, но и приветствия вообще. Ответом на его импульс стала тишина, пустота, его телепатический посыл ушел в абсолютное ничто, не вызвав никакого отклика...

Озадаченный Найл сделал шаг вперед и снова повторил вежливое приветствие. На этот раз со стороны Смертоносца-Повелителя пришел пучок концентрированной энергии. Паучий Владыка и не подумал приветствовать людей, он сразу начал с угроз.

“Двуногие нарушили Договор! — в ушах Найла словно пророкотал тяжелый голос.— Двуногие преступили порядок и заплатят за это!”

Одновременно с этим черные пауки, окружившие людей плотным кольцом, грозно пошевелились и сжались еще теснее.

Уходящая ввысь паутина зашевелилась и даже в этом колыхании чувствовалось нечто угрожающее.

От неожиданности в первый момент Найл чуть не задохнулся, но нашел в себе силы и послал за седую завесу сгусток гневной психической энергии:

“Договор нарушило племя смертоносцев! Горожане ни в чем не виноваты! Пауки начали охотиться на людей, и виновные должны быть сурово наказаны”

“Никто из пауков не нарушал Договор и не пробовал вкуса человеческого мяса уже десять лет!” — мысль Смертоносца-Повелителя грозно прозвенела в его сознании.

“Вчера пропала целая семья на окраине Города,— не унимался Найл.— Шесть человек бесследно исчезли из своего жилища, а стены дома были залиты кровью до потолка! Никто, кроме пауков, не смог бы так жестоко расправиться с честными горожанами!"

Его гневный выпад остался без ответа. Раскинув лапы в агрессивной стойке, гигантские смертоносцы пронзали пришельцев угрюмыми безжизненными взглядами.

"Сейчас ты увидишь, что именно люди преступили Закон! — снова раздался сигнал от Смертоносца-Повелителя.— Смотри внимательно и не говори, что ты ничего не видел! Смотри наверх!"

После этого Владыка отдал какой-то невнятный приказ своим слугам, и внезапно вся гигантская паутина пришла в движение.

Найл много раз бывал в этом зале, но никогда не предполагал, что колоссальная сеть на самом деле может двигаться!

Он запрокинул голову, а вслед за ним и все его спутники устремили изумленные взоры к далеким сводам, располагавшимся на высоте около двадцати метров от полированных плит пола.

Белесая пушистая паутина, заволакивавшая огромный потолок зала, от движения боковых тенет слегка вздрогнула, пошла рябью и некоторые ячейки вдруг раскрылись. У Найла возникло такое ощущение, как будто большой камень упал на гладь горного озера и всколыхнул абсолютно ровную поверхность, только породившую из своих холмистых недр какой-то предмет, причем довольно значительных размеров.

“Смотри! — гневно повторил Смертоносец-Повелитель.— Смотри на ужасы, творимые двуногими!”

Из раскрывшихся ячеек паутины потолка появилась прямоугольная деревянная плоская площадка, напоминающая обыкновенный плот для плавания по горному озеру. Площадка медленно снижалась на четырех толстых нитях, прикрепленных к каждому из углов, и вскоре плавно приземлилась прямо перед Найлом и его спутниками.

В зале повисла грозная тишина. Сотник паучьих глаз были прикованы к какой-то темной куче, громоздившейся на опустившейся сверху площадке.

Взгляд Найла скользнул по непонятному предмету, и в этот момент он с ужасом понял, что перед ним появился труп огромного паука...

На грубом дощатом помосте, залитом бурой спекшейся кровью, лежала туша смертоносца, расчлененного на несколько частей. Неестественно торчали в разные стороны вывороченные мохнатые лапы... рядом лежали выбитые окровавленные клыки, но самое ужасное заключалось в том, что массивная черная голова, рассеченная точно пополам, зияла пустыми глазницами...

У убитого смертоносца не было ни одного из восьми выпуклых глаз! На их месте темнели только глубокие лунки, наполненные запекшимися кровавыми сгустками...

Эта омерзительная картина заставила Найла содрогнуться и отвернуться.

Тут же он всем телом почувствовал, что сила воли Смертоносца-Повелителя заставляет его снова поднять голову и вперить взгляд в помост.

“Смотри! Не отводи взора! — раздался в его сознании грозный голос.— Это еще не все!”

“О, повелитель земли! Мы все скорбим! — обратился Найл к владыке.— Что это за паук?”

“Перед тобой тело паучихи! Ее звали Рессотта. Вместе с Рессо, начальником моей стражи, они ждали потомство. Вскоре у них должны были появиться детеныши!”

“Нам очень жаль погибшую! Как это случилось?”

Ответ пришел в такой жесткой форме, что, скорее, напоминал волевой удар в грудь и заставил Найла нервно поежиться.

“Предводитель двуногих, ты превратился в повелителя убийц! — сурово откликнулся Смертоносец-Повелитель.— Рессотту убили! Ее замучили, и виноваты в этом твои подданные! Только они могли бы сделать такое! Только люди знают, как подавлять паучью волю, и ты сам виноват в том, что двуногие нарушили Договор!”

“Ее убили? — Найл не мог поверить в это известие.— Не может быть...”

Этот случай, действительно, выглядел просто невероятно!

Пауки, с их невероятным даром телепатии, могли в минуты опасности просить о помощи и посылать тревожные импульсы своим сородичам. Тем более, если паучиха ждала потомство...

Смертоносцы, эти гигантские чудища, наделенные своеобразным интеллектом, существовали в рамках жесткой социальной организации со своей иерархией, чем-то смутно напоминавшей устройство муравейника или термитника. Они были коллективными существами, и интересы "семьи" были для них прежде всего.

"Убийцы подавили ее волю! — яркой вспышкой ненависти полыхнул в сознании отклик Смертоносца-Повелителя.— Они парализовали ее мозг, надругались над ней, убили и похитили все драгоценные яйца!"

От этого известия в груди Найла мгновенно пробежал неприятный холодок, точно в сердце пронесся ледяной сквозняк.

Ему стала понятна ярость смертоносцев,— пауки никогда не прощали гибели своих сородичей.

Убить одного из них означало навлечь на себя страшную месть, а забота о будущем потомстве была для гигантских насекомых самой важной частью их жизни!

Кроме того, никто не забывал, что верховный паук, по традиции именовавшийся Смертоносцем-Повелителем, на самом деле был паучихой, обладавшей невероятными телепатическими способностями, и ее особенно больно задело известие о гибели Рессотты и пропаже яиц.

На другом конце деревянной площадки, спустившейся сверху, лежала какая-то бесформенная куча, и только сейчас стало понятно, что это не что иное, как пустые разграбленные паучьи гнезда, в которых еще совсем недавно вызревали яйца пауков.

“Никто из людей не смог бы сделать это! — твердо заявил Найл.— Никто не посягнул бы на Договор! Клянусь... Я в ответе за своих горожан!”

“Ты и ответишь за это! — с готовностью откликнулся Владыка.— Для этого тебя вызвали в этот зал!”

“О, Повелитель земли! У людей и так случилось горе! Погибла целая семья, несколько горожан бесследно пропали...”

Но его ментальные импульсы уже не доходили до Смертоносца-Повелителя. Тот не хотел ничего знать и обрушил на Найла всю гигантскую силу своей воли. Даже сквозь полог паутины было заметно, как во взоре Владыки неумолимо происходит перемена. В каждом центре каждого из восьми зрачков начали медленно плясать маленькие искорки, предвещавшие опасность, и от этого казалось, что глаза полыхают недобрым, враждебным огнем.

“Твоя охрана может идти, но без тебя. Ты останешься здесь до тех пор, пока злодеи не понесут наказания! — внезапно изрек верховный паук.— Когда твои слуги найдут убийц, ты выйдешь на волю. До этого ты остаешься здесь!”

Ошеломленный этим известием Найл сделал шаг вперед и внезапно ощутил мощную ментальную атаку. Такого яростного напора ему не приходилось переживать уже очень давно...

— Возьмитесь за руки! — взревел он своим спутникам и постарался защитить их от неумолимых импульсов жесткой воли, хлеставших по залу свирепыми бичами.

Нанесенный телепатический удар, вырвавшийся из-за паучьего полога, затуманил его разум, но тело, поймав подсознательный импульс, метнулось назад. Найл устремился к своим телохранителям, успевшим по его команде схватиться за руки и сомкнуться в единую цепь.

Между ним и Джелло, стоявшим с края, оказалось небольшое пространство, всего метра два,— начальник охраны, взревев от ярости, тоже бросился на выручку к своему властелину.

Если бы их руки встретились, Найл ощутил бы поддержку своих спутников, но рядом с ним стремительно промчалась какая-то огромная тень, и он не смог больше сдвинуться с места.

Внезапно что-то вцепилось в его левую ногу так, что он не смог оторвать ее от мраморных плит пола. Краем глаза он успел заметить, что мимо него на скорости промчался тот самый Рессо, стражник у врат дворца, потерявший недавно свою паучиху.

Найл опустил голову и увидел, что эластичная блестящая петля паутины, сноровисто выпущенная пролетевшим мимо пауком, обвивает его колено толстым жгутом. За одну секунду разъяренный смертоносец заарканил его и тут же начал с невероятной скоростью взбираться вверх по толстой паутине, завешивающей одну из стен.

— Проклятие! — прорычал Джелло и бросился на помощь.

Его острый клинок взмыл в воздух, чтобы обрушиться на тенета, неожиданно выросшие на ноге его хозяина.

Но мощный удар с шумом лишь рассек воздух,— Рессо, взобравшийся наверх уже почти к самому своду зала, в эту секунду с силой дернул сверху за свой жгут, и Найл, не в силах удержать равновесие, со всего маха грохнулся на каменный пол.

Дальнейшее произошло стремительно.

Сноп ярких иск брызнул у него перед глазами от чувствительного удара, но он не собирался сдаваться и быстро вскочил на ноги. Внезапно раздался легкий свист, и сверху, с потолка на Найла обрушилась влажная пахучая сеть паутины, опутав голову, плечи и руки, спеленав все тело сотнями мелких, тугих, хитроумно сплетенных ячеек.

В первый момент он невольно пригнулся, но тут же напряг мышцы и попытался освободиться, с громким отчаянным криком раздирая тенета сильными руками. В это время сокрушительный телепатический удар, обрушившийся сзади, со стороны Смертоносца-Повелителя, заставил его захрипеть, замереть на мгновение и зашататься.

Ментальная агрессивная атака повторилась еще раз...

Руки Найла продолжали по инерции разрывать скользкие нити паутины, но все уже плыло перед глазами. Удар повторился снова, вспышка направленного психического излучения угодила ему точно в голову. На этот раз возникло такое ощущение, точно тяжелый кузнечный молот со всего маха безжалостно врезался в затылок.

До слуха еще доносились воинственные вопли его охранников. Джелло вместе со своими товарищами не собирался сдаваться. Как и подобает настоящим бойцам, они пытались спасти своего повелителя. Но с каждым мгновением Найл чувствовал, как силы покидают его...

Лицо, опутанное липкой паутиной, исказила мучительная гримаса, дыхание затруднилось, сознание заволокла тьма.

Внезапно в один миг опора под ногами исчезла и стало ясно,— он безнадежно взмывает вверх, его поднимают, как жертву, вниз головой к завешанному паутиной потолку. Найл почти уже потерял сознание, ему казалось, что под там, под сводами зала с отвратительным слизистым чавканьем его ожидает какая-то ненасытная гортань.

Он уже чувствовал зловоние, исходящее оттуда, уже ощущал смрадное дыхание, но из последних сил попытался остановить свой полет вверх и вцепиться хоть во что-нибудь!

Только руки упирались лишь в упругую паутину.

С каждым энергичным движением он вредил себе, запутываясь в тенетах все больше и больше и превращаясь в беспомощный безликий кокон, исчезающий в бездонных недрах огромной паутины...

ГЛАВА ДЕСЯТАЯ

Дальнейшее расплылось для него в один непрекращающийся кошмарный сон. Сознание оставило его и Найл провалился в мутную, душную бездну.

Очнулся он, судя по всему, нескоро. Сначала лежал с закрытыми глазами, не чувствуя собственного тела.

Тело словно отсутствовало и поэтому хотелось ощупать себя, но он не мог двинуть ни рукой, ни ногой.

Жуткая головная боль, утихнувшая было во время забытья, разыгралась снова, стоило только открыть глаза. Он снова попытался поднести руки к лицу, чтобы прикоснуться к раскалывавшемуся лбу, но не смог этого сделать.

Туго натянулась клейкая паутина, и он почувствовал, как сдавлены кисти рук. От обмотанных запястий в обе стороны устремлялись толстые жгуты, уходившие сквозь круглые отверстия куда-то вглубь толстых стен. Точно такие же путы сдавливали и щиколотки, поэтому он не мог бы даже подняться с места.

Но, по крайней мере, его тело уже не опоясывал сплошной кокон, в котором его взметнули к потолку главного зала. Все-таки удалось привстать на охапке сухой травы, брошенной прямо на холодный мраморный пол, и осмотреться.

Над головой нависал низкий кирпичный потолок с деревянными основательными подпорками.

В углу чернело отверстие эксплуатационной шахты, на стенах полыхали два факела, а в десятке шагов от него тускло поблескивала полукруглая металлическая дверь с узором из выпуклых заклепок.

В тесном каменном мешке, в котором ему суждено было очнуться, Найл не смог обнаружить даже небольшого оконца, вокруг виднелись только глухие стены. Судя по всему, это был подвал, и только вентиляционный колодец, видневшийся в одном из углов, кроме приземистой двери, соединял это помещение с внешним миром.

Взглянув еще раз на деревянные брусья пересекавшие потолок в разных направлениях, он внезапно с омерзением сообразил, куда его спрятали смертоносцы...

Давным-давно, еще до Свободы и до заключения Договора, здесь, наверняка, размещалась одна из многочисленных кладовых, где хранились “припасы” для прокорма прожорливых пауков. Только нетрудно было догадаться, что в качестве основной "провизии" здесь находились живые люди...

В те страшные годы, во времена рабства, смертоносцы полностью хозяйничали не только на улицах Города, но и в его окрестностях. Любой паук мог наброситься на человека и утащить его в подобную "кладовую". Попавших сюда несчастных не убивали сразу, а парализовали особым ядом, причем так, что люди находились в полном сознании, но не могли двигаться,— тело не подчинялось им, и каждому под силу было только лишь ворочать глазами.

Некоторые, особенно жестокие пауки, привыкшие ко вкусу только свежей человеческой плоти, пожирали своих жертв заживо в течении нескольких дней. Они любили только теплую кровь, не переносили привкуса трупного яда и наслаждались своей добычей нарочито медленно, специально оттягивая момент смерти, пока тело человека не превращалось в слизистый кровавый огрызок, бесформенный, но все еще живой и беспомощно моргающий глазами...

Деревянные брусья, расходящиеся под потолком темницы в разные стороны, служили раньше своеобразной "вешалкой", на которую крепились коконы, свисающие на толстых упругих нитях.

Найл представил себе, что еще только лет десять назад эта угрюмая комната была наполнена слабыми мучительными стонами висящих вниз головами людей, обреченных на такую ужасную смерть, как его передернуло от ужаса и ненависти к паукам.

От вскипевшей в жилах ярости он даже перестал чувствовать холод, хотя так долго пролежал без движения в выстуженном помещении.

Он не смог уже сдерживать наплыв мучительных воспоминаний, и сознание невольно вернулось к тем дням, когда при налете смертоносцев погиб его любимый отец.

Сколько раз Найл мысленно возвращался к тому моменту, когда он обнаружил распухший труп Улфа, валявшийся в пыли около входа в разгромленную пещеру, и каждый раз ему казалось, что сердце его не выдержит и через мгновение лопнет от невыносимого напряжения.

Все эти годы он старался подавлять в себе чувство мести.

Но сейчас, попав в ледяной каменный мешок, служивший когда-то настоящей пыточной камерой для обреченных, он с трудом мог сдерживать себя и тешил себя картинами будущего возмездия за все зло, причиненное пауками за долгие годы владычества.

Несмотря на холод, горло его пересохло от жажды.

Даже высохшие губы, казалось, потрескались, и стоило ему лишь открыть рот, чтобы крикнуть: “Воды!”, как в уголках рта даже выступили крошечные капельки крови. Да и вместо крика из горла вырвался лишь сдавленный хрип, какой-то невнятный скрежет. Неожиданный приступ кашля заставил его содрогнуться, но после этого он повторил попытку, и зычный голос прорезал полную тишину.

Что толку?

Глухие пауки все равно не расслышали бы его, они могли реагировать лишь на мысленные импульсы, передававшиеся в их мозг напрямую, но Найл чувствовал себя настолько измученным после напряженной телепатической схватки со Смертоносцем-Повелителем, что совершенно не мог настроиться на нужную волну.

Мысленно он был еще в состоянии противоборства, и чуждая неумолимая воля стискивала его сознание пульсирующим кольцом, она по-прежнему ощутимо давила на затылок, как грузный гнет.

Несчастье, сваливавшееся на головы горожан, витало в воздухе тяжким полотном переживаний. Найл и так испытывал невероятные душевные терзания из-за гибели семейства Флода с мальчишками хромоногого Имро, а вдобавок к этому он сам попал в неволю и был лишен возможности помочь своим подданным. Каждой нервной клеткой он ощущал и горестные переживания пострадавших, и неуверенность перед будущим, вызванную его отсутствием.

Но жажда не утихала, а он никак не мог собрать свои ментальные силы в пучок, чтобы вызвать к себе стражу.

Толстые жгуты так сковывали его движения, что он даже не мог протянуть руку к груди, чтобы перевернуть свой медальон активной стороной.

От отчаяния он стал дергать нити паутины в разные стороны и почувствовал, что одна из клейких нитей, уходящая в стену через небольшое отверстие, поддается сильнее, чем другие.

Видимо, этот жгут подсоединялся к системе огромной сети, окольцовывавшей все здание и служил чем-то наподобие сигнального устройства.

Действительно, вскоре его догадка подтвердилась.

Глухо звякнул засов двери, и на пороге “кладовой” показался огромный черный смертоносец. Найл без труда узнал того самого Рессо, который потерял свою паучиху и, казалось, всю свою ярость хотел обрушить не только на людей, а именно на Главу Совета Свободных.

За спиной Рессо виднелись два рослых бойцовых паука. Судя по всему, они тоже служили в охране.

“Как, должно быть, они боятся меня,— невольно усмехнулся про себя Найл.— Сначала обмотали руки и ноги крепкой паутиной, да так, что нет никакой возможности даже встать, а потом еще и заходят в темницу целым отрядом...”

Но все восемь круглых выпуклых глазищ, ободом опоясывавших крупную смоляную голову Рессо, впились в него с такой ненавистью, что Найл переменил свое мнение.

Теперь он уже не сомневался, что Владыка опасался за его собственную жизнь и приказал своим поданным входить в камеру только по трое, чтобы разъяренный Рессо не прикончил узника в одиночку. Для этого смертоносцу потребовалась бы только доля секунды, убийственный удар его мохнатой лапы был бы стремителен и бесшумен, как взмах птичьего крыла.

Паук обратился к нему, и даже сквозь приступы головной боли Найл услышал его дрожащий от гнева голос. Под воздействием такого раздражителя ментальные способности начали потихоньку возвращаться и к нему самому.

“Чего ты хочешь? — сурово наклонил огромную голову смертоносец.— Ты... предводитель двуногих убийц, зачем ты беспокоишь нас?”

“Я Глава Совета Свободных, а свободные люди никого не убивали! — с достоинством отозвался Найл, невольно морщась от тупого звона, наполнявшего голову.— Твои братья, смертоносцы мучили в этой комнате моих братьев-горожан и пили их теплую кровь. Это ты принадлежишь к племени убийц!!!”

4 Зак. 3230

В последнюю фразу Найл вложил всю свою оставшуюся психическую энергию и достиг своей цели, больно уязвив восьмиглазого. Рессо в первый момент отшатнулся, как от чувствительного удара, а потом в ответ с силой плеснул волной ненависти. Гигантский паук отомкнул гигантские клыки и даже шагнул вперед, точно собираясь броситься на человека, но оба "бойца" тут же уловили его легкое движение и стремительно преградили дорогу, оттеснив в сторону.

Рессо подчинился своим спутникам, но тишину камеры прорезало его сухое угрожающее шипение.

Безусловно, если бы членистоногие умели рычать, он огласил бы весь дворец яростным ревом, но природа лишила пауков этой способности, и мстительному смертоносцу никак нельзя было выплеснуть свой гнев наружу, оставалось только копить всю клокочущую ярость внутри себя.

"Принесите воды" — слабо, из последних сил попросил Найл.

Его ментальные импульсы были обращены, скорее, к бурым "бойцам", нежели к разъяренному начальнику охраны, с огромным удовольствием напоившего бы узника смертельным ядом.

Ответа он не дождался, огромные пауки, перебирая мохнатыми лапами, проскользнули в низкий дверной проем, и металлическая дверь с грохотом захлопнулась за ними.

Найл с тяжким вздохом подумал, что ему так и не удастся утолить жажду, но снова глухо стукнул засов и один из бойцовых пауков принес глиняный кувшин, зажатый мохнатой лапой.

Связанными руками Найл не мог дотянуться даже до своего лица, поэтому “бойцу” пришлось поить узника, как ребенка.

Гигантские насекомые мало что понимали во вкусе воды, они его просто не чувствовали, поэтому в кувшине оказалась какая-то затхлая, мутная, вонючая жидкость. Но, все равно, измученный Найл выпил ее с таким наслаждением, он жадно глотал, точно ощущая на губах аромат самого свежего душистого меда.

“Боец” удалился и вскоре принес керамический поднос, на котором лежал кусок какого-то сухого холодного мяса и несколько плодов кактуса-опунции.

“Это человеческое мясо?” — печально усмехнувшись, спросил Найл, произнося слова вслух и одновременно передавая их напрямую в сознание насекомого.

“Нет, это вяленый баран,— вполне серьезно ответил молодой “боец”, не сумевший оценить всю горечь шутки.— Пауки уже давно не едят людей. Договор запрещает это делать.”

“Это хорошо! Принеси потом мне еще воды!” — попросил Найл, вгрызаясь в протянутый ему кусок одеревеневшего, безвкусного, но питательного мяса.

Аппетита он по-прежнему не чувствовал, но заставлял себя подкрепиться, чтобы поддерживать силы.

К тому времени, когда “боец” снова появился в темнице с кувшином воды, Найл уже начал приходить в себя и осмысливать все происшедшее.

“Долго меня будут тут держать?” — спросил он, хотя ничуть не рассчитывал получить какой-то внятный ответ от обыкновенного слуги.

“Как прикажет Смертоносец-Повелитель! — с явной неохотой откликнулся молодой паук.— Больше ничего не знаю.”

Судя по всему, он боялся вступать в тесный контакт с пленником и поэтому постарался, покормив и напоив его, как можно скорее удалиться.

Оставшись в одиночестве, Найл постарался во всем разобраться.

Многократно повторяя и восстанавливая в голове все подробности случившегося, раз за разом он прокручивал перед своим мысленным взором события последнего времени, и каждый раз всплывало что-то новое.

Стараясь проанализировать все и понять каждую мельчайшую деталь, вскоре он понял, что мысль его словно упорно цеплялась за невероятную загадку.

Он никак не мог понять,— почему все-таки, после целого десятилетия мирного сосуществования, смертоносцы внезапно объявили войну людям, напав на дом мирного горожанина Флода?

Почему Смертоносец-Повелитель решился на крайний шаг и пленил Главу Совета Свободных?

Найлу нетрудно было себе представить, что сейчас творится в Городе!

Горожане, еще помнившие времена позорного рабства, хотя и подчинялись Договору, хотя и послушно соблюдали все условия мира, но многие из них все эти годы подавляли в себе тлеющую ненависть к огромным паукам-людоедам, подавляли в себе стремление искоренить следы былого позора. Не так просто сразу избавиться от мыслей о мести, если смертоносцы когда-то замучили и сожрали кого-нибудь из твоих родных или близких друзей!

Смертоносец-Повелитель задержал только его одного, отпустив Джелло вместе с другими телохранителями, и Найл не сомневался, что почти весь Город сейчас бурлит от гнева.

Никто не собирался бы спокойно относиться к такому возмутительному поведению, никто не склонен был спускать паукам их невероятную дерзость!

Между тем, Найл почувствовал, как внезапно затрепетала нить, стискивающая его запястье и уходящая в глубину дворца через узкое каменное кольцо в стене. Вибрация оказалась настолько ощутимой, что он даже с удивлением заметил дрожание собственной руки.

Поскольку посредством этого прочного жгута его подсоединили к всеобщей сети, к тенетам, опутывавшим все стены и потолки Дворца изнутри, то сейчас, похоже, до него доносились какие-то особые сигналы.

Гигантская паутина настолько ощутимо дрожала, что у Найла возникло уверенное ощущение, что во Дворце начался какой-то переполох.

Ему казалось, что он видит, как десятки огромных пауков возбужденно носятся по просторным коридорам, как они беспорядочно карабкаются вверх и вниз по пыльным сетям, не находя себе места и не в силах восстановить прежний порядок.

В камере по-прежнему стояла мертвая тишина, но внутренним слухом Найл ощущал невероятный шум, поднятый вокруг.

Обыкновенный человек не уловил бы ничего, но он, со своим невероятным даром телепатии, слышал чудовищную ментальную какофонию, наполнявшую все помещения Дворца.

Со всех сторон раздавался такой яростный вой и скрежет, такое гневное шипение, что на несколько мгновений ему даже показалось, что уши закладывает от шума.

Он чувствовал, что все эти проявления злобы и ненависти направлены именно на него, на сидящего в каменном мешке человека, и все эти яростные импульсы объединяют в порыве бешенства всех пауков Дворца, заставляя их шипеть и носиться по сетям единой паутины, как безумных.

Угрожающе загремел в очередной раз засов металлической двери, и в темнице снова в окружении двух "бойцов" появился Рессо, источающий вокруг себя невероятную, лютую злобу.

Черная, иссеченная глубокими морщинами голова смертоносца пружинисто покачивалась, мощные лапы тревожно подрагивали, и по его внешнему виду было понятно, что в любое мгновение огромный паук может ринуться на пленника.

Рессо не сводил тяжелого взгляда с человека и все восемь паучьих глаз, казалось, ненавидящими взорами пронзали его, как ядовитые шипы.

Через мгновения получила свою разгадку и тайна невероятного переполоха, поднявшегося во Дворце не так давно.

"Сегодня утром двуногие убили еще одну паучиху! — свирепо выплюнул смертоносец.— Самка по имени Геррфа тоже ждала потомство, как и Рессотта! Ее замучили, вырвали глаза и похитили все яйца!"

Оставаясь внешне невозмутимым, Найл возразил:

"Глава Совета Свободных не мог сделать это. Глава Совета Свободных находился в это время в подвале!"

"Смертоносец-Повелитель знает, что это сделал не Предводитель. Но Смертоносец-Повелитель объявил сегодня всем двуногим Города: если погибнет еще хотя бы один паук, если пострадает еще хотя бы одно яйцо, Предводитель двуногих умрет! Смерть его будет длительной и тяжелой!"

Из узника Найл в одно мгновение превратился в заложника...

Сердце его наполнилось ледяной дрожью, хотя ни один мускул его лица не дрогнул. Слишком хорошо он с детства знал, что могло таиться за этими свирепыми угрозами.

Еще во время жизни в Хайбаде его любимый дед, Джомар Сильный, прозябавший когда-то давным-давно, в паучьем рабстве, рассказывал, какой лютой каре смертоносцы подвергли небольшое поселение людей, убивших несколько пауков. Несчастных парализовали ядом и долгое время жестоко пытали их, ни в коем случае не давая беднягам умереть раньше времени.

"Передай Повелителю, что он нарушает Договор! — с достоинством ответил Найл.— Если меня казнят, то в Городе немедленно начнется война!"

"Смертоносец-Повелитель не боится ничего! Смертоносец-Повелитель готов к войне! — быстро метнул свой импульс Рессо.— Мы все готовы к сражениям и будем драться! Но сначала ты умрешь!"

От бессильной ярости Найл готов был грызть зубами путы, безжалостно стягивающие руки и ноги.

Мышцы его вздувались буграми, когда он пытался поднести стиснутые запястья ко рту, но даже этого, к вящему удовольствию Рессо, сделать ему никак не удавалось.

В течении всей этой беседы Найл пытался связаться с сознанием Смертоносца-Повелителя, но тщетно,— верховный разум был словно наглухо закрыт для него, Владыка напрочь отказывался вступать с ним в ментальный контакт.

“Готовься к смерти, Предводитель двуногих! — свирепо предупредил Рессо.— Я сам буду казнить тебя, и смерть нелегко достанется тебе. Сначала ты сполна ответишь за все мучения моей самки и за гибель моих детенышей!”

Металлическая дверь с гулким скрипом отворилась, и пауки направились к выходу, складывая гигантские ворсистые лапы для того, чтобы протиснуться в проем.

“Ты должен передать Повелителю, что я хочу встретиться с ним! — отчаянно послал Найл сигнал вслед уходящему смертоносцу.— Если я буду на свободе, я смогу разыскать убийц!”

“Больше ты не увидишь свободы, если погибнет хотя бы одно яйцо! — не оборачиваясь, бросил Рессо.— Смертоносец-Повелитель не желает тебя видеть. Смертоносец-Повелитель не может даже думать о тебе!”

Тяжелая дверь с грохотом захлопнулась и Найл снова остался один.

"Что-то случилось...— размышлял он.— Произошло нечто неординарное... Кто же мог снова убить самку? Кто мог похитить ее яйца?"

Мысль его беспокойно искала ответа. Он не испытывал страха, но всей душой надеялся, что его друзья и подданные все-таки настолько благоразумны, что не станут ради освобождения своего правителя сразу штурмовать паучье логово.

Найл отгонял от себя мысли о возможной атаке и рассчитывал прежде всего на благоразумие Симеона,— хотя врач и не занимал официального поста, все в Совете Свободных знали, как Глава ценит его сдержанность и рассудительность.

Кроме того, никто не осмелился бы идти на штурм только с холодным оружием. Выступать против пауков-смертоносцев с острыми клинками было бы обыкновенным безумством, с таким же успехом можно было выходить охотиться на хищных зверей с детскими рогатками в руках.

В таких ситуациях помочь могли бы только лазерные разрядники.

А "жнецы"... "жнецы", согласно давнему Договору, находились под замком, и никто из людей без особого разрешения не смог бы получить к ним доступа.

Несомненно, что именно сейчас, как никогда, горожане нуждались в вожде. Им был необходим руководитель, способный здраво размышлять и направлять события в нужное русло.

Но что Найл мог сделать теперь, обвиненный в тяжких злодеяниях, которых он не совершал, и опутанный липкими нитями паутины, не уступающими по прочности корабельным тросам? Кто мог прийти ему на помощь в этой тесной камере и выручить из беды?

Неожиданно он почувствовал сильный ментальный импульс.

Совершенно очевидно, что кто-то в этот момент вызывал его, находясь на очень близком расстоянии. Когда Найл открыл глаза и бросил взгляд вокруг, то, конечно, ничего не обнаружил.

Но в тот момент, когда он повернул голову и глаза поднялись к потолку,— к темному отверстию эксплуатационной шахты, он подумал, что его посетила болезненная галлюцинация...

Из мрака колодца на него смотрела какая-то бурая огромная физиономия! От удивления Найл даже захрипел и дернулся вперед, забыв про стягивающие его крепкие нити, потому что в нескольких метрах от него виднелась физиономия паука Хуссу!

Найл, задыхаясь от радости, не показал своего удовольствия, а наоборот, с нарочитым театральным недовольством протянул:

— Ага, пожаловал... наконец-то... Почему так поздно? Где ты пропадал, дружище?

Он не отказал себе в удовольствии произнести эти слова вслух, хотя знал, что человеческая речь ничего не значит для глухого Хуссу, а мысли попадают сразу в его сознание, представая в виде особого единого образа.

Тут же пришел ответный импульс, и внутренним слухом Найл словно услышал скрипучий, ехидный паучий голос:

“Где пропадал?.. Долго думал, как подобраться сюда и все размышлял: стоит ли тебя спасать? Стоит ли выручать тебя в очередной раз, дружище?”

ГЛАВА ОДИННАДЦАТАЯ

В свое время, несколько лет назад, Найл не только спас пустынника от неминуемой смерти, но и, в какой-то мере, стал его наставником, опытным воспитателем. Чудом уцелевшее паучье яйцо случайно попалось Найлу на глаза, когда он проезжал мимо пепелища лесного пожара, вспыхнувшего жарким летом в фисташковой роще.

Потом он даже не мог объяснить себе, почему подобрал покрытое гарью яйцо, завернул в пушистый клочок луизианского мха и отвез в Город.

Скорее всего, им двигало только чувство любопытства,— любознательный хайбадский мальчишка-экспериментатор все еще продолжал жить в его душе, и это оказалось решающим для судьбы маленького, еще не освободившегося от своей оболочки паучка-пустынника.

Через несколько дней забавный, пушистый, влажный паучок прошел через первую в своей жизни линьку и выбрался из высохшего яйца, из своего морщинистого убежища. Восьмилапый детеныш осмотрелся по сторонам, неуверенно повернул кожистую головку, и первым живым существом, которое он увидел в своей жизни, оказался Найл. Это и стало самым главным в их дальнейших тесных отношениях.

— Х-с-с-у! — тоненько, едва слышно просипел крошечный пустынник, точно на свой, особый манер приветствуя человека.—Х-с-с-у! Х-с-с-у!..

Безумно довольный Найл безудержно рассмеялся, и вопрос, как назвать новорожденного паучка, оказался решен сам собой.

С тех пор детеныш навеки получил свое имя, признавая на свете лишь только своего хозяина.

Появление на свет нового существа прошло на глазах у Найла, и он сразу попытался проверить свои телепатические способности. Он и раньше делал попытки вклиниться в головы взрослых пауков, но всегда каждый раз отчетливо ощущал, какая бездна лежит между его и их мозгом. Взрослые, уже окрепшие особи, как бы воздвигали некую ментальную преграду, противясь постороннему вторжению в их сознание.

А этот беззащитный паучок с первых же секунд своего существования точно не сознавал различий между Найлом и собой.

Их сущности непроизвольно слились воедино.

Получалось, что на ум пустынника можно было влиять так же, как пауки— смертоносцы до этого воздействовали на человеческую волю!

Найл вполне мог связываться с сознанием пустынника в любое угодное ему время, избегая делать это только в двух случаях,— в то время, когда Хуссу охотился в своем загоне на кроликов или индюшек, и тогда, когда повзрослевший паук отправлялся куда-нибудь в фисташковую рощу на жаркое свидание к одной из своих многочисленных возлюбленных паучих.

В свое время старый паук-смертоносец, именовавшийся Квизибом, настойчиво проникая в сущность человека, сделал одно великое открытие.

Он изучал секреты человеческой души и взял к себе новорожденного сына умершей при родах молодой женщины. Младенец по имени Джарак попал в лапы к одной из дочерей Квизиба, которая не сожрала малютку, а стала холить его, как ручного зверька.

Со временем Джарак подрос и оказался глубоко привязан к этой дочери, и к самому Квизибу, считая себя больше пауком, нежели человеком.

Подобрав яйцо пустынника, Найл вспомнил об этой истории, и в его голову пришла мысль провести подобный эксперимент, только поменяв направление.

И опыт оказался удачным!

Человеческое сознание сопрягалось с паучьим, образуя своего рода телепатическую замкнутую систему, связанную незримой пуповиной, внутри которой безболезненно циркулировали огромные пласты самой различной информации.

Найл обладал невероятными телепатическими способностями от природы, но пользовался еще и медальоном.

С помощью ментального рефлектора он умножал концентрацию сознания, осваивая за короткое время немыслимое количество знаний.

Когда в его жизни появился Хуссу, он сделал еще одно потрясающее открытие, обнаружив, что может использовать память паука, как сектор своей собственной.

Часть информации он, словно по телепатической сети, сбрасывал на своеобразное хранение в мозг пустынника и брал оттуда все необходимые данные.

Взять своего восьмилапого друга с собой на встречу с Владыкой, так неожиданно закончившуюся пленением, он никак не мог.

С древних времен, с эпохи царствования Вакена Мудрого между черными огромными смертоносцами и серыми пустынниками, значительно уступающими им в размерах, существовала непримиримая вражда.

В те седые времена, в разгар кровавой борьбы со смертоносцами пустынники однозначно встали на сторону человечества, они по приказу Вакена пробирались в логово паучьих владык, выведывали тайны, возвращались и докладывали о них людям.

Найл отправился в одиночку, но Хуссу, даже находясь на значительном расстоянии от Дворца Смертоносца-Повелителя, не прерывал контакта со своим хозяином. Пустынник не оставил его в трудную минуту и нашел в безнадежном заточении.

Поэтому Найл, умирая от бессилия в своей темнице, испытал приступ такой безумной радости, обнаружив бурую голову пустынника, высовывающуюся из вентиляционного отверстия.

Несмотря на свои солидные габариты, при необходимости Хуссу мог удивительным образом группироваться и складываться до такой степени, что легко проходил в очень узкие проемы.

Он успешно пользовался этим у себя дома, во Дворце Главы Совета Свободных. Спокойно передвигаясь по внутренним коммуникациям, паук всегда мог плавно перемещаться из зала в зал, разыскивая своего хозяина и никогда не пользуясь дверьми.

Все обитатели резиденции Найла давно привыкли к этому, и слуги уже не пугались, завидев огромную мохнатую лапу, высовывавшуюся где-нибудь высоко под потолком.

Внутри стен Дворца Смертоносца-Повелителя существовали такие же скрытые лабиринты, но никто из черных гигантов не мог даже заподозрить, что по ним может спокойно передвигаться живое существо.

Хуссу выкарабкался из узкого жерла шахты и отряхнулся, скидывая толстый слой известковой пыли с бахромы жестких волос, покрывавших все туловище и длинные мощные лапы.

“Неплохо...— иронично протянул пустынник, внимательно окидывая восьмеркой своих глаз сплошную каменную кладку стен.— Ты недурно устроился тут, дружище...”

“Недурно...” — подтвердил Найл.

“Останешься здесь? Или пойдешь со мной?”

“Если ты приглашаешь, дружище, могу составить тебе компанию...”

“Приглашаю! Теперь пора! — выпалил Хуссу.— Не будем терять времени!”

Пустынник легко двинулся вперед, приблизился к лежанке из сухих трав, и острые клыки в одно мгновение распороли паутину, стягивающую руки и ноги пленника. Найл еще не успел ничего сообразить, как Хуссу тут же, в воздухе подхватил тот конец, который уходил в круглое отверстие, связывая узника с единой сигнальной сетью смертоносцев и склеил обрезанный конец с другим жгутом, тоже упиравшимся в стену.

Трудно было не восхититься смекалке пустынника,— если бы эластичная нить безвольно упала бы на пол, стражники быстро обнаружили бы неладное, и вскоре во Дворце поднялась бы тревога.

А Хуссу сделал так, что напряжение попрежнему сохранялось, и извне могло показаться, что обрыва нет, что все остается попрежнему.

Сердце Найла возбужденно забилось, когда он, наконец почувствовав после долгого времени свободу, стремительно вскочил на ноги. Дрожащими от волнения руками он первым делом нащупал у себя на груди ментальный рефлектор.

Как знать, если бы отражатель мысли висел был повернут активной стороной во время беседы со Смертоносцем-Повелителем, может и удалось бы хоть как-то повлиять на его разъяренное сознание.

Времени размышлять об этом не было. В любое мгновение в камере могли появиться охранники.

С этого момента уверенность настолько овладела им, что каждый свой шаг он стал видеть на несколько секунд раньше, чем это требовалось сделать. Действия его были точными и четкими, словно он не один раз уже спасался от угрозы в подобной ситуации.

Пустынник уже направился к шахте, но Найл остановил его требованием:

“Нужно запереть дверь!”

“Дверь и так закрыта.” — отозвался ничего не понимающий Хуссу.

Его глаза выразили полное недоумение, и сам он застыл, пока не получил четкого приказа:

“Сделай так, чтобы никто не смог забраться сюда из коридора!”

“Паутина?” — на всякий случай переспросил восьмилапый.

“Действуй!”

Пустынники значительно уступали смертоносцам в размерах, они были не ядовиты, но победили в борьбе за выживание за счет хитрости, гибкости и проворности. Кроме того, выпущенные ими клейкие нити ничуть не уступали в прочности нитям черных гигантов-людоедов.

Любой, даже молодой пустынник вполне мог меньше чем за полминуты опутать шелковистой сетью взрослого мужчину, укутав его в кокон с головы до пят.

Найл отодвинулся к тому углу, в котором чернел вентиляционный колодец.

Хуссу, тем временем, повинуясь приказу, стал стремительно метаться по темнице, с легким шипением выпуская прочнейшие влажные жгуты.

На первый взгляд его движения выглядели хаотичными, он словно подпрыгивал к металлической двери, набрасывал очередную петлю и тут же отскакивал в разные стороны, но вскоре стало заметно, что громоздкая ручка, выступающая изнутри на металлической створке, уже связана многочисленными ячейками с деревянными брусьями-подпорками, с железными подставками для факелов, с заметными выступами на стенах.

Можно было с уверенностью сказать, что теперь из коридора практически невозможно открыть дверь, наглухо замотанную прочной паутиной со стороны темницы.

Возбужденный Найл не смог больше стоять на холодном каменном полу и вплотную подошел к тому углу, из которого недавно появился пустынник.

Запрокинув голову, можно было заметить узкий колодец, отвесно уходящий ввысь, и представлявший собой огромный вертикальный цилиндр из древнего закопченного бетона, душную трубу, тянувшуюся из подвала к крыше внутри высокой стены.

Путь к свободе казался близко, но при всем своем желании любой, даже самый тренированный человек не смог бы запрыгнуть в отверстие, располагающееся на высоте трех метров от пола.

Все оказалось бы просто безнадежно, если бы рядом не было пустынника.

Хуссу не испытывал никакого неудобства, передвигаясь по вертикальной плоскости, он спокойно прошел по кирпичной кладке к сводам и свесил оттуда спасительный трос паутины, поднимаясь по которому Найл и проник в жерло лабиринта.

Этот ход, замурованный внутри толстых стен, задумывался зодчими прошлого как служебная шахта и вряд ли предполагался как способ нормального передвижения по разными уровнями черного Дворца.

Сжав плечи к груди, Найл с трудом протискивался в полной темноте, продирался вверх, подтягиваясь на редких стальных скобам, выступающих из шершавого бетона, и невольно поражался, как удается массивному пауку протащить свое шершавое туловище сквозь тесную трубу, диаметром едва превосходящую человеческую голову.

Хуссу полз наверху, впереди него и, судя по всему, не испытывал никаких особых трудностей, поднимаясь плавно и ровно, как кабина лифта.

Не так легко бегство далось Найлу, совершенно не привыкшему к подобным путешествиям.

Сердце колотилось, как бешеное, дышать было трудно, воздуха постоянно не хватало, и один раз он начал по-настоящему задыхаться, жадно хватив воздух губами и вдохнул облако плотной цементной пыли.

Сверху из-под мощных лап паука на его макушку постоянно сыпались куски штукатурки, иногда мелкие, а порой и более крупные.

Однажды сверху на темя прилетел такой булыжник, что Найл из глаз брызнул пучок ослепительных желтовато-белых искр.

“Дружище, если ты хочешь прикончить меня, сделай это, пожалуйста, в другом месте,— метнул Найл наверх телепатическую просьбу.— Мне совершенно не хочется погибать в таком гнусном месте”

“Не нужно тут говорить! — сурово одернул его пустынник.— За стеной смертоносцы. Могут почуять!”

Тут же Найл сообразил, что Хуссу оказался прав.

В этот момент они продирались по колодцу где-то на уровне Главного зала, Смертоносец-Повелитель мог находиться в своем логове, в каком-нибудь десятке метров отсюда и вполне мог уловить обрывки телепатического контакта.

Эта мысль заставила Найла замолчать, зашторить на всякий случай сознание и притаиться до конца пути.

Выход колодца упирался в небольшую неосвещенную комнату с деревянными перекрытиями, чем-то похожую на нижнюю темницу, в которой смертоносцы держали своего пленника.

Здесь никого не было видно и Найл, осторожно следуя за бесшумно передвигающимся Хуссу, попал в длинную крытую галерею, разделенную ажурными сводами арок.

Стены здесь с одной стороны были пронизаны длинными высокими окнами, сквозь которые внутрь изливался мутный белесый лунный свет.

На плоском потолке, низко нависающем над головой, змеились бесчисленные пучки толстых тенет, переплетенные в ячейки и пересекавшие помещение в разных направлениях.

Сверху вниз, вдоль старых кирпичных стен тянулись такие же жгуты паутины, уходящей на другие этажи.

С другой стороны прохода, на расстоянии метров пяти друг от друга, из-под белесой паутины виднелись какие-то двери, но за каждой стояла абсолютная темнота и тишина.

За все годы взаимного сосуществования с пауками Найл не раз бывал с визитами во Дворце Смертоносца-Повелителя, но никогда не поднимался выше Главного зала; правитель Города находился в полной уверенности, что никого из людей пауки не пускают во внутренние покои.

Сейчас он шагал здесь, в омерзении зажимая нос, и только с некоторой завистью поглядывал на Хуссу, невозмутимо продвигающегося вперед и не чувствующего ничего особенного.

Всюду стояла невыносимая вонь, запахи затхлости, и вся атмосфера, несмотря на сильные холода, отличалась особой душностью.

Как опытный проводник, Хуссу следовал в темноте, уверенно минуя переходы и поворачивая на зловонные лестницы. Наконец они приблизились к самому верху здания, проскользнули между рядами треугольных стропил и оказались на ржавой металлической лестнице.

Буквально несколько мгновений понадобилось, чтобы выскользнуть из чердака и очутиться на крыше Паучьего Дворца, этого черного угрюмого утеса, отвесно вздымающегося в морозную ночную дымку. Отсюда открывался живописный вид на заснеженный Город, на белые кварталы, отчетливо разделенные на две половины черной извивающейся лентой все еще незамерзшей реки.

Как ни прекрасен был зимний Город в этот час, совершенно не оставалось времени даже на лишний шаг,— в любое мгновение смертоносцы могли обнаружить пропажу узника.

Предстояло еще каким-то образом спуститься вниз...

И снова без помощи Хуссу он никак не обошелся бы.

В полумраке, в желтоватом бледном лунном свете Найл без раздумий перевалился через бетонное ограждение крыши, сгруппировался, удерживая тело на узкой обледенелой полоске, и на какую-то долю секунды замер, напряженно вглядываясь в темноту перед собой.

“Тут невысоко...” — скрипучим бесстрастным голосом доложил Хуссу, только глянув вниз, поверх балюстрады.

“Да, дружище, согласен с тобой,— иронично улыбнулся Найл.— Всего пятьдесят этажей, сущая безделица...”

“С тобой ничего не случится! — успокоил его паук.— Я буду рядом!”

“Я тоже буду рядом...”

Оставалось лишь пересилить свой страх, секундную слабость, и ринуться в эту мрачную бездну, обмотавшись вокруг пояса крепчайшей влажной шелковистой нитью.

Пустынник уперся одной четверкой мощных лап с одной стороны в парапет, а другой в белоснежные плиты крыши. Обосновавшись так основательно, он начал так стремительно выпускать паутину из своего брюха, что у Найла, почти слетающего вдоль темной стены на пружинистом жгуте, свистело и закладывало в ушах.

Порой он со звучным шорохом задевал выступы, чувствительно врезаясь локтями и коленями в каменные блоки, а ледяной ветер обжигал колючим дыханием щеки и стискивал грудь.

Стремительный спуск проходил нормально. Казалось, что все неприятное уже позади, и через несколько секунд Найл сможет спрыгнуть на землю.

Неожиданно раздался тихий хруст, тонкий противный щелчок.

Напряжение, связывавшее его упругим жгутом со стоящим на крыше пустынником, исчезло. Как сразу пропало и ощущение надежности.

На морозе эластичная паутина замерзла, потеряла упругость и от резкого движения внезапно сломалась где-то наверху, над головой, хотя до земли оставалось преодолеть порядочное расстояние.

В груди у Найла похолодело, когда он понял, что ничего не может сделать, что никак не способен себе помочь. Тело провалилось в пустоту, и он безнадежно полетел вниз с десятиметровой высоты...

ГЛАВА ДВЕНАДЦАТАЯ

Постоянно бывая в Белой башне, Найл каждый раз общался с седовласым наставником, неизменно опекавшим его на протяжении последнего десятка лет. Старец не был живым человеком, он являлся аватаром, компьютерным воплощением гениального ученого прошлого по имени Торвальд Стииг, олицетворявшим гигантский электронный мозг Капсулы времени.

К две тысячи сто семьдесят пятому году, ко времени эвакуации на Новую землю, на планете существовало пятьдесят таких капсул, пятьдесят гигантских компьютеров, возвышающихся белоснежными утесами в разных точках земного шара и работающих в режиме полного само обеспечения.

Все эти самодостаточные башни-компьютеры были порождением могучего интеллекта великого Торвальда Стиига. Естественно, что ученый, решив персонифицировать безликий кремниевый мозг Белой башни, смоделировал виртуальный четырехмерный персонаж по своему образу и подобию, получивший имя Стигмастер.

Почтенный старец на протяжении долгого времени не только обучал Найла, насыщая его память огромными массивами информации, но и раскрепощал его мозг, помогая преодолевать собственные комплексы. Невозмутимый Стигмастер всегда работал над тем, чтобы его подопечный смог искоренять в себе страх, как таковой. В том числе, он научил Найла избавиться от боязни высоты.

Компьютер моделировал ситуации, заставлявшие преодолевать древние инстинкты самосохранения и превозмогать первобытный ужас.

Изощренный кремниевый мозг возносил его на макушки самых великих вершин мира, и Найл замиранием сердца балансировал в воздухе над долинами, раскинувшимися во все стороны на сотни и сотни миль. Повинуясь приказам, он освобождал свой мозг, избавлялся от страха, и белоснежные верховые облака ласкались у его ног, плавно проплывая и прикасаясь к обнаженным ступням холодными языками.

В тот вечер, спасаясь бегством из Дворца Смертоносца-Повелителя, Найл понял, что уроки Стигмастера прошли не зря. Только выдержка спасла от гибели, позволив мгновенно собраться во время падения.

Страх вспыхнул и мгновенно исчез, уступив место закаленной выдержке. Он успел приготовиться, смог перед стремительно приближающейся заснеженной площадью сноровисто спружинить ногами, хотя, все равно, от резкого столкновения круги поплыли перед глазами.

Все бы ничего, он остался цел и очень умело приземлился, только высота оказалась весьма значительной, и удар вышел чересчур жестким.

Острая боль от столкновения в первое мгновение пронзила его.

Найл непроизвольно вскрикнул, и от удара дыхание как будто перехватило. Лишь мгновение он лежал, глубоко дыша и стараясь прийти в себя, пока рядом на безупречно белый снег не опустилась темная тень пустынника.

Хуссу не стал втягивать в себя остаток остекленевшей на морозе нити паутины, а обломал ее наверху и сам спустился, проскользнув вниз головой вдоль обледеневших стен так быстро, что со стороны никто бы не смог ничего заметить.

Путь до резиденции Главы Совета Свободных не занял много времени. Дворцы Найла и Смертоносца-Повелителя в географическом отношении находились не очень далеко друг от друга,— только внезапно вспыхнувшая вражда словно отбросила их мгновенно в разные концы Города.

Утопая в пушистых сугробах, Найл вместе с Хуссу пробрался в свои владения и вскоре попал в объятия друзей.

Несмотря на поздний час, никто не спал, и все пребывали в ожидании, точно знали, что именно сейчас Хуссу должен был освободить своего хозяина.

Просторная гостиная была заполнена его друзьями,— Симеон, Биллдо, Фелим, Бойд, Джелло и многие, многие другие. Примчался во Дворец и давно ждал тут и старший брат Вайг, все время пребывавший в яростном возбуждении.

Радости встречи не было предела, но было видно, что от завтрашнего дня люди не ждали ничего хорошего.

Наоборот, судя по их настроениям, все готовились к самому худшему.

Непокорная седая шевелюра Симеона за это время приобрела воинственный вид, его густые светлые волосы стояли дыбом, как защитный шлем воина, а под мохнатыми серебристыми бровями грозным блеском сверкали неукротимые глаза.

— Приветствую Главу Совета Свободных! — пробасил он и гостиная взорвалась гулом радостных приветствий.— Мы ждем тебя давно, и уже окончательно потеряли терпение! Еще бы немного, и...

— Что тут происходило без меня? — спросил Найл после крепких объятий.— Как у вас дела?

— Плохо! — без обиняков отозвался старина Биллдо, сурово сдвигая брови.— Так плохо давно не было!

— Что же произошло?

Все переглянулись, точно пребывая в некоторой нерешительности, но никто не решился ничего сказать.

— Давайте! Я внимательно слушаю! — потребовал Найл.— Мы — мужчины, и должны вести себя решительно!

— Джелло, начинай! — промолвил седовласый Симеон, традиционно пользовавшийся в обществе непререкаемым авторитетом.— Расскажи обо всем...

Начальник дворцовой стражи беспрекословно подчинился. Он вышел вперед, на центр комнаты, гулко откашлялся в кулак и произнес:

— Плохие дела! Сегодня утром поступил сигнал от соседей некоего Шиллиха, живущего в одном из южных районов. Соседи забеспокоились потому, что уже два дня не видели никого из его семьи...

— Вы выезжали туда? — спросил Найл.

— Конечно! В ту же минуту мы направились на место! — оскорблено отозвался Джелло, сотрясая в воздухе продолговатым цилиндром пневматического гарпуна.

— Что же вы обнаружили?

Предчувствие беды становилось все более и более явственным. Это было почти физическое ощущение тягостного давления.

...Хотя Найл и задал друзьям этот вопрос, в глубине души он уже знал, какой получит на него ответ. Интуиция его не подвела и только лишь поэтому слова Джелло, прозвучавшие через мгновение, не ввергли его в состояние шока.

— В том то и дело, что мы никого не обнаружили там! — угрюмо ответил начальник охраны.— Никого в доме не оказалось, ни самого Шиллиха, ни его жены, ни троих его детей...

— Так же, как и в доме Флода? — едва слышно прошептал Найл.

— Все точно также,— подтвердил Джелло.— Дверь была закрыта, а жилище совершенно пусто... И в точности также, как и у Флода, все стены забрызганы кровавыми пятнами...

В комнате повисла тяжелая, плотная тишина.

Все угрюмо молчали, на лицах людей читался бушующий гнев. Такого уже долгое время не случалось, и Найл физически чувствовал, как внутри каждого из его друзей клокочет негасимая ярость.

— Думаете, это месть смертоносцев? — прервал он молчание, обводя взглядом всех присутствующих.

Все одновременно зашумели в знак согласия, беспорядочно заговорили, но даже этот возмущенный гул прорезал яростный звучный голос Биллдо.

— Что тут думать! Несчастные горожане не просто пропали без вести, их убили! Причем убили жестоко! Это совершенно точно, мохнатые раскоряки снова решили отведать вкуса человеческой крови! — авторитетно заявил он.— Нечего даже сомневаться! Преступления совершены одинаково, везде один и тот же почерк!

— Мы тоже так думаем! — кивнул Симеон.— Кто еще может выкидывать такие гнусные номера?

Они переглянулись и Биллдо требовательно спросил у Найла:

— Что думаешь предпринять? Как мы будем действовать теперь?

Судя по выражению глаз Доггинза, у него самого, как и у всех остальных, ответ уже был готов еще до появления Главы Совета Свободных, поэтому Найл выдвинул встречный вопрос:

— Что вы решили? О чем вы говорили без меня?

— Предстоит большая драка, и мы должны думать, как защищать наши семьи!

— Думаешь, без драки мы не обойдемся?

— Восьмиглазые объявили нам войну! — вскинулся Биллдо.— Пролито уже немало человеческой крови! Никто из этих вонючих черных раскоряк, прах их побери, не собирается останавливаться! Мы не можем сидеть у камина и ждать, пока нас уволокут в подвалы и обглодают до костей, как жирных кроликов!

— Что же ты предлагаешь?

Биллдо обвел глазами всех присутствующих и торжественно объявил:

— Без оружия мы пропадем! У нас ведь только кинжалы, копья и гарпуны... детские игрушки, одним словом... Если так и пойдет дальше, смертоносцы легко справятся с нами, эти поганые насекомые сожрут нас и наши семьи, они снова поработят людей, всех до единого. Мы снова должны снова взять "жнецы" в руки!

— Ты уверен, что это единственный вариант?

— Конечно! Будь я проклят, если это не так!

Найл давно знал воинственную натуру своего друга и привык всегда с большой осмотрительностью относиться к его советам. Не первый год Билл Догинз находился рядом с Главой Совета Свободных.

Все прекрасно знали, что этот бывший подрывник, как мальчишка, любит оружие и предпочитает все спорные вопросы решать только силой.

— Мы больше не можем ждать! — настойчиво, даже укоризненно повторил Биллдо.— Неужели ты до сих пор не понимаешь? Нам нужно возвратить себе "жнецы"!

В знак одобрения и поддержки все снова загудели, но только из груди Найла вырвался тяжелый вздох. Он разделял искренние чувства своих друзей, стремившихся снова взять

в руки смертоносное оружие, но и понимал, к каким чудовищным последствиям это может очень скоро привести...

ГЛАВА ТРИНАДЦАТАЯ

Лазерные разрядники, в просторечии именуемые “жнецами”, обладали чудовищной мощью, за короткий отрезок времени легко превращая в обугленные руины густо заселенные городские кварталы.

Изобретение “жнеца” пришлось на середину двадцать второго века и создатели разрядника, отдавая дань глубокой старине, придали ему внешний вид обычного стрелкового оружия, распространенного уже и в двадцатом столетии.

Лазерный расщепитель смахивал на обыкновенный автоматический карабин с массивным прикладом, хотя обладал такой невероятной разрушительной силой, какая только в самых страшных снах могла присниться людям прошлого.

Но “жнецы” сразу после изобретения были засекречены и не получили такого широкого распространения, как, скажем, автоматические карабины двадцатого века. Правящая верхушка общества приложила все силы к тому, чтобы изолировать новое оружие от широких масс.

Лучшие умы сделали все, чтобы количество “жнецов” было ограничено,— никогда разрядник не поступал в свободную продажу, и его нельзя было купить ни за какие деньги.

Каждый экземпляр имел свой неповторимый электронный идентификационный номер, позволяющий силовым структурам в случае необходимости за несколько секунд точно определить, в какой точке Земли находится тот или иной “жнец”.

Спецслужбы могли не только запеленговать лазерный разрядник, но и заблокировать его действие, находясь на расстоянии в сотни километров.

Власти больше всего на свете боялись, что чудовищное оружие попадет в руки бандитов и террористов, державших в страхе правительства всех стран.

К двадцать второму веку на Земле почти не осталось краев, не затронутых раздором, девять десятых территории планеты в те годы полыхали огнем. Даже в таких глухих местах, как Арктика и Антарктика, развернулись боевые действия между разными странами, когда стало известно, что в этих безлюдных краях обнаружены залежи уникальных полезных ископаемых.

Легко было себе представить, как решались бы территориальные споры с помощью “жнецов”!

Их мощь в сочетании с компактностью и простотой использования делала их самым невероятным порождением человеческого ума. Любой подросток, взявший в руки такую игрушку, мог за короткое время обратить в пепел целый город!

Потом за лазерными разрядниками стали охотиться не только злоумышленники крупного, планетарного масштаба, но и отчаявшиеся люди, стремившиеся получить место на космических эвакуационных ковчегах.

Всем жителям Земли стало известно, что из глубин космоса на них надвигается мрачная тень кометы Опик.

Цивилизация была обречена, и к последней четверти двадцать второго века мир непоправимо раскололся на две неравные части,— на тех, кто улетал на Новую землю и тех, кто оставался.

Сто миллионов богатых и знаменитых, удачливых и талантливых нашли себе место в исполинских ковчегах, сто миллионов землян получили свои пропуска в будущую жизнь, забрав с собой в галактические края все самое ценное, чего достиг человеческий разум за тысячелетия эволюции. Часть из них за огромные деньги купила билеты, часть получила места от правительства, кто-то из счастливчиков выиграл свой единственный шанс в планетарной компьютерной лотерее.

Миллиарды самых обыкновенных людей никуда не смогли скрыться, десятки миллиардов остались на Земле. Выжили лишь единицы, а девяносто процентов из оставшихся сгинули в губительном дыхании радиационного шлейфа кометы.

Уставшие от жизни дряхлые старики погибли вместе с маленькими наивными детками, зрелые мужи погибли рядом со своими матронами, пылкие юноши и привлекательные девушки, все они в расцвете сил не смогли получить места на громадных космических транспортах. Волей судьбы, обернувшись миллиарды людей превратились в радиоактивный пепел, обернулись облачками ядовитого дыма...

Перед началом эвакуации обстановка на Земле достигла высшей точки напряжения и напоминала Найлу панику на обреченном “Титанике”, гордо вышедшем в плавание без должного количества спасательных шлюпок. Он изучал историю последних дней перед глобальной катастрофой и знал, что страсти накалились в те дни до предела, что всемирная ненависть достигла тогда наивысшей точки кипения.

Все члены экипажа этого огромного дредноута под названием планета Земля и все пассажиры стремились в 2175 году получить место для себя и для своих близких на спасательных транспортах.

Но мест было очень немного, и лучшие умы человечества отчетливо представляли себе, что может произойти, если кто-то из отчаявшихся завладеет хотя бы одним лазерным разрядником.

Мощный разрушительный луч “жнеца” вполне был способен испепелить любой объект, он с легкостью мог разрезать на мелкие части самый крупный космический транспорт, причем даже в том случае, если стрелок находился бы на значительном расстоянии, ведь радиус действия этой игрушки составлял более двух миль!

Правящая верхушка, вполне резонно рассчитывающая вовремя улететь с Земли, приняла решение законсервировать полный запас самого губительного оружия всех времен в секретном подземном арсенале.

Интеллектуальная элита просчитала все возможные варианты и стремилась избежать неожиданных террористических актов, способных поставить под вопрос саму возможность эвакуации.

Местоположение единственного хранилища являлось одной из самых строгих тайн двадцать второго века.

Многие пытались разгадать секрет, немало людей погибло, охотясь за зашифрованной картой, но спецслужбы так организовали процесс изоляции разрядников и их охраны, что ни одной из подпольных группировок так и не удалось в конце концов завладеть заветными “жнецами”.

Долгие годы, прошедшие после Великого Исхода, древний арсенал верно хранил свои тайны, много веков боевое оружие пролежало в недрах земли, надежно укрытое несколькими уровнями защиты.

Но великий ученый Торвальд Стииг оставил данные о хранилище в Капсуле памяти, справедливо рассудив, что будущим поколениям это может понадобиться.

Настало время, и кремниевый мозг Белой башни всего через тысячу лет выдал людям совершенно точные координаты секретного арсенала.

Туда проник Найл вместе с членами небольшой экспедиции...

Так жалкая горстка повстанцев, восставших против паучьего рабства, завладев легендарным оружием, смогла уничтожить чудовищный режим.

Билл Доггинз, старина Биллдо, вот кто по-настоящему в душе был бойцом. Он обожал все военные средства и получал огромное наслаждение, рассматривая противотанковый таран или автоматический лазерный расщепитель.

Именно он много лет назад и ввел впервые Найла в мир вооружений, когда они вместе ворвались в подземное хранилище и обнаружили там не только “жнецы”, но и целый арсенал самых разных орудий уничтожения двадцать второго века, от ножей с молибденовыми лезвиями до зажигательных бомб.

После Договора люди согласились избавиться от оружия, и лазерные разрядники, едва выглянув на свет после многовекового заключения, снова оказались сконцентрированы в одном месте.

На этот раз для подобной цели Найл присмотрел один из пустующих складов на городской окраине.

По условиям Соглашения, никто из людей не имел права туда входить, а охраняли новый арсенал только смертоносцы.

Десять лет никто из горожан и не вспоминал о "жнецах", но сейчас... сейчас неожиданно возникла другая ситуация.

— Давайте подождем немного,— предложил Найл своим друзьям.— Мы до конца не понимаем, что случилось на самом деле... До сих пор мы не можем сказать, что произошло? Нужно, как говорится, всего семь раз отмерить...

Его слова повисли в мрачной тишине не вызвали никакого сочувствия у собравшихся. Напротив, Биллдо даже грозно насупился и проворчал:

— О чем ты? Неужели для тебя неясно, что смертоносцы просто устали носить маску? Веками они только и делали, что пожирали людей, они поработили наших предков и безраздельно царствовали на Земле. Пауки привыкли к власти, потом людям надоело терпеть и мы хорошенько врезали этим мохнатым тварям. Неужели ты забыл об этом?

— Дружище, я никогда ничего не забываю,— коротко бросил Найл.— Но сейчас речь идет о другом. “Жнецы” находятся под охраной пауков, все об этом прекрасно знают. Так предусматривают условия Договора, и десять лет назад мы дали согласие, что не сможем взять оружие без разрешения Смертоносца-Повелителя.

— Значит, мы должны плюнуть на это разрешение и забыть обо всем,— невозмутимо пожал плечами Доггинз.— Если мохнатые раскоряки первыми нарушили Договор, мы можем поступать так, как нам необходимо!

— Так считают все? — спросил Найл после минуты раздумья.

Голоса всех присутствующих слились в единодушном порыве. Протестовать никто не стал.

— Вы ведь понимаете, что мы нарушаем Договор? — вздохнул он еще раз.— Если соглашения не будут действовать, начнется война...

— Война! — энергично крикнул Биллдо и глаза его сверкнули оживленным блеском.— Только война! Мы должны захватить “жнецы” и сделать это как можно быстрее. Вопрос только в том, кто пойдет со мной?

В гостиной повисло тяжелое, напряженное молчание.

Народу здесь было много, почти все были членами Совета Свободных, но не все жаждали рисковать своей жизнью, а никто не сомневался, что смертоносцы так просто, без боя, отдадут лазерные расщепители.

— Кто согласен отправится в арсенал немедленно и отобрать у грязных черных тварей наши “жнецы”? — повторил Доггинз, обводя взглядом всех присутствующих.

Некоторые опускали глаза, кто-то морщил лоб и отворачивался...

— Я пойду! — с готовностью рявкнул Джелло.— Старина, без меня ты никак не управишься!

— Проклятие! Ты мог бы об этом и не говорить! — укоризненно развел руками Биллдо.— Точно я не знаю своего старого друга, этого свирепого медведя...

Начальник охраны внушительно поднялся с места, упираясь сначала ладонями в могучие колени, и выдвинулся вперед, к своему давнему другу.

Гастурт и Марбус быстро переглянулись, обменялись понимающими взглядами и Гастурт звонким голосом попросил:

— Мастер, возьмите нас обоих с собой! Мы справимся! Мы поможем в деле!

— Хорошая мысль, возьми-ка этих медвежат,— тихо посоветовал Доггинз.— Клянусь своим волосатым брюхом, они никогда не простят тебе отказа!

— Хорошо, мы зачисляем вас обоих в отряд,— кивнул Джелло.— Вам это действительно пригодится в будущем. Настоящий мужчина должен расти на опасностях!

Довольный Биллдо расправил плечи и заявил:

— Вот и прекрасно! Вчетвером мы сможем свернуть горы. Мы сможем взбаламутить весь океан, а не то, что заломать мохнатые лапы этим гнусным тварям...

Из угла раздался голос Вайга:

— Я хорошо знаю помещение, где хранятся расщепители... я тоже иду с вами!

Он неторопливо, со значительностью выбрался из толпы и вышел на центр просторной комнаты.

— Вам нужен врач...— неожиданно прервал молчание Симеон.— Вдруг кто-нибудь будет ранен? Я тоже иду с вами!

— Вот и достаточно! Шесть человек уже есть,— воскликнул Билллдо, сразу по старинной привычке взявший на себя роль предводителя.— Небольшой отряд собрался, и этого будет достаточно!

После этого он оглядел заполненную народом комнату и спокойным, невинным голосом обратился к Правителю:

— Глава Совета Свободных, куда прикажешь поместить "жнецы", когда мы доставим их в твою высочайшую резиденцию?

— Еще пока не знаю...— хмуро буркнул Найл, пронзая взглядом старого плута и покусывая щеку с внутренней стороны.— Этот вопрос я решу, когда мы вместе вернемся во Дворец...

Сначала вокруг царила тишина, а потом все словно взорвалось возбужденными криками и грохотом мебели.

Оживленный гул прокатился по гостиной после его решения. Десятки глаз испытующе уставились на него.

Когда человек совершает важный выбор, он всегда оказывается в центре внимания.

— Значит, если мы верно поняли, ты идешь вместе с отрядом? — с лукавым взглядом уточнил Доггинз.— Правильно ли мы расслышали твои мудрые слова?

— Да, правильно! И не делай вид, что это для тебя неожиданность! — с напускной строгостью отрезал Найл, легко поднимаясь со своего места.— Ты, старый злодей, с самого начала прекрасно понимал, что я пойду вместе с вами! Нечего было разыгрывать целую сцену!

— Надо же, решился,— иронично хмыкнул Симеон.— А мы думали, что ты будешь сейчас у камина греть ноги и штопать тунику, порванную пауками во Дворце Смертоносца-Повелителя!

Найл резко обернулся и бросил на него быстрый испытующий взгляд.

Глаза его впились в доктора, но густая седая бородища давала тому некоторые преимущества: никогда нельзя было понять, улыбается он или нет...

ГЛАВА ЧЕТЫРНАДЦАТАЯ

Сначала они всемером двигались по набережной, вдоль реки, окутанной облаками морозного тумана.

Силуэты многоэтажных заснеженных небоскребов-башен возникали из мглы, как огромные, влажные, белые корабли, плывущие во мраке безбрежного океана.

Ледяной панцирь впервые за много лет сковал широкое русло реки, и мороз выписывал на гладкой поверхности крупные причудливые узоры, напоминающие фантастические цветы.

Такое в этих засушливых краях случалось не часто. Неожиданные холода застали теплолюбивую природу врасплох и многое погубили.

Роскошные шапки пальм даже не были видны под толстым слоем снега. Тенистые кроны сикомор, обледенев, ломались под жестокими порывами ветра, нежные араукарии пригибались к земле, пытаясь спастись от жестоких морозов, а цветущие душистые кустарники безнадежно погибли в течении всего лишь нескольких минут.

Мощеная набережная заканчивалась. На высоком обрыве реки чернел кряжистый ствол с двумя облетевшими толстыми ветвями. Старый приземистый платан основательно врос в каменистую почву и сопротивлялся морозам, хотя беспощадный ветер с со студеным ливнем и облепил его ледяной коростой от вспученных корней до кроны.

Свернув влево, небольшой отряд осторожно пересек пустынную большую площадь у древнего моста и оказался на сонной городской окраине, усыпанной одноэтажными деревянными хибарами с плоскими крышами. В некоторых еще вовсю дымились печные трубы.

Жители бедняцких районов спасались от морозов, протапливая на ночь вонючие домишки и заодно торопились приготовить себе на ужин что-нибудь вкусное.

Миновав еще несколько кварталов, Найл со своими спутниками очутился в царстве угрюмых каменных зданий, среди необитаемых блочных коробок, сложенных в глубокой древности из массивных бетонных плит.

— Вот и склад,— небрежно бросил Найл, обращаясь к своим молодым охранникам.— Видите этот чудесный дворец за забором? Не хуже, чем у Главы Совета Свободных... Может быть, стоит переселиться сюда в старости?

Молодые люди взглянули в указанном направлении и увидели только выщербленную кирпичную стену с высокими запертыми воротами.

На воротах висел впечатляющий металлический замок, размером с добрую столовую тарелку.

“Да нам сюда никак не проникнуть...” — подумал Найл и, к своему стыду, неожиданно почувствовала облегчение.

Видимо, ментальный импульс от него отлетел довольно чувствительно, потому что Симеон тут же переглянулся с Джелло, потом с Вайгом, и все они только проницательно усмехнулись, точно прочитав паникерские мысли Главы Совета Свободных.

Не отставал от них и Вайг. Старший брат непреклонным голосом заявил:

— Ты думаешь, нам никак сюда не подобраться? А мы вот сейчас попробуем в конце улицы свернуть налево... Разведаем там обстановку...

Это был один из тех районов Города, где жилые дома уже почти кончились, уступив место сплошным продовольственным складам, ангарам для скунсовых губок, механическим мастерским, овощным хранилищам. Места здесь выглядели мрачно, особенно глухим поздним вечером.

Медленно, словно бесцельно прогуливаясь, они всемером прошли по улице и не встретили ни единой живой души.

Остановившись у кирпичного забора, Джелло упер мускулистые руки в бока и, закинув голову, стал разглядывать его, точно читая какую-то невидимую надпись, расположенную примерно на трехметровой высоте. Судя по всему, препятствие нисколько не испугало его и начальник дворцовой охраны собирался каким-то образом переправляться на другую сторону.

— На торце каменного забора рассыпано битое стекло,— со тяжелым вздохом предупредил Найл, ежась от холода.— И еще там, на самом верху, протянута особая колючая проволока, нашпигованная острыми ядовитыми шипами... Стоит только чуть уколоть руку, как человека сначала парализует, а потом наступает мучительная смерть... Биллдо, ты же помнишь, как погиб Каприан?

— Помню, прах и пепел...— неохотно отозвался Доггинз и пояснил молодым охранникам: — Это было еще до Свободы, когда мы в первый раз разыскивали Арсенал. Тогда все перелезали через такую же стену, украшенную этими погаными иголками. Все пролезли нормально, а один... Один из наших ребят, парнишка по имени Каприан, умудрился только едва пораниться, задеть плечом отравленный шип и все... корчился в муках, извивался, все губы были в пене, а мы никак не смогли помочь бедолаге...

— Он умер? — нервно сглотнув, встрял здоровенный Гастурт.

Вместо ответа Джелло бросил на него взгляд, исполненный такой суровости, что молодой охранник тут же стушевался и даже приложил ладонь к губам в знак своего дальнейшего молчания.

— Так что не говорите мне, что мы сможем разбежаться, как следует, и по очереди перепрыгнуть через это препятствие, не задев отравленные колючки...— угрюмо бросил друзьям Найл. — Через забор нам не перебраться.

Его раздирали противоречивые чувства.

Как и каждый нормальный человек, живущий в Городе, он клокотал от ярости, вспоминая о кровавых преступлениях смертоносцев, и всеми силами души хотел, чтобы "жнецы" как можно скорее оказались бы у людей в руках.

Но как Правитель, как Глава Совета Свободных он прекрасно понимал, к каким тяжелым и непредсказуемым последствиям может привести первый же разряд, выпущенный из ствола смертоносного расщепителя. Поэтому он и колебался, стараясь оттянуть самый важный момент.

Только слишком уж решительно настроены все его спутники...

Их глаза сверкали воинственным блеском и было видно, как молодые Гастурт и Марбус умирают от нетерпения, желая как можно скорее взглянуть на легендарное оружие, с помощью которого десять лет назад люди избавились от тяжелого гнета рабства.

Хотя теперь мало кто вспоминал, что победы людей над черным племенем смертоносцев начались совсем не тогда, когда в их руках оказались лазерные расщепители.

Конечно, были в Городе горячие головы, считавшие что только “жнецы” покончили с многовековым господством огромных пауков, и они не часто вспоминали, что решающую роль в свое время сыграл не кто иной, как Найл, причем сумел сделать это даже без оружия в руках.

Никакой другой человек не смог бы одержать верх в тяжелом противоборстве, если бы до этого долгие годы не освобождал бы свое сознание от страха, если бы не научился противостоять ужасу, излучаемому смертоносцами на любом, даже очень значительном расстоянии.

Десять лет назад пауки безраздельно властвовали над человеческой волей, и нормальный, обычный обитатель города, даже и овладев сокрушительным оружием, никогда не смог бы выстрелить в паука, как бы ни старался.

Никто не смог бы даже шевельнуть пальцем, лежащим на спусковом крючке “жнеца”. Прежде, чем из разрядника вырвался бы смертоносный луч, невероятная власть паучьего мозга сковала бы человеческую волю и стиснула бы тело невидимыми тисками, заставив недвижно стоять на месте в ожидании неминуемой тяжкой смерти.

Единственным, кому удалось преодолеть эту чудовищный телепатический гнет, стал Найл, и он прекрасно понял тогда, что любое, даже самое мощное, оружие не является подлинным решением всех кровоточащих проблем.

Напротив, мир был сохранен только тогда, когда люди отказались от использования разрядников и согласились навсегда закрыть их на складе

"Жнецы" олицетворяли силу человека, но они несли с собой и полное разрушение сложившегося в последнее время порядка. Поэтому Найл и находился в таком трудном положении, очутившись вместе со своими решительными друзьями у высокого кирпичного забора.

— Для того, чтобы нам удалось проникнуть внутрь, мы должны будем взорвать стену,— с сомнением покачал он головой.— Для этого нужно тащить сюда жуков-бомбардиров, а пока они прибудут сюда, дежурные смертоносцы по телепатической сети уже оповестят всех остальных. Тогда точно в склад не сможет войти никто, как ни старайся. Пауки даже не будут нападать на нас, они только раскинутся по земле единым колоссальным кольцом. Даю вам слово, что сквозь психическое воздействие этой цепи никто из нас не сможет прорваться...

— Нет никакой необходимости взрывать старинную стену. Она стоит уже тысячу лет и может прослужить еще столько же,— спокойно ответил Вайг.— Мы заберемся внутрь и так... Раскрой глаза пошире! Видишь?

— Что я должен увидеть? — недовольно буркнул Найл.— Выражайся ясней, мне совсем не хочется топтаться на таком морозе и разгадывать твои невнятные загадки!

— Неужели непонятно...— досадливо сморщился его старший брат.— Ворота огромные, массивные, но в любых, даже крепко запертых воротах имеется, как правило, маленькая дверь, в которую может проскользнуть только один человек. Смертоносцы всегда открывают только большие створки, а люди здесь не бывают, и пауки даже не замечают узкой... Вот она, в стороне от нас, по правую руку...

Действительно, в самом углу, на краю громоздких обледенелых ворот, отчетливо выделялся небольшой прямоугольник.

— Если мне не удастся отворить эту самую дверцу, считайте, что лучшие годы своей жизни я потратил напрасно,— заявил Вайг.

Он неторопливо приблизился к мрачным ржавым воротам, поскрипывая свежевыпавшим снегом, а все остальные раскинулись за его спиной полукругом, зорко поглядывая по сторонам.

Но темный проезд оставался совершенно пуст, ни один силуэт не мелькал вдали. Вайг достал из небольшого заплечного мешка какие-то непонятные приспособления и наклонился над замком.

— Все насквозь промерзло... нельзя и сдвинуть с места,— с досадой сказал он вполголоса.— Зажгите огонь!

Гастурт с готовностью запалил небольшой креозотовый факел, и через секунду коптящий язык пламени начал струиться по обледеневшей поверхности.

Примерно около минуты все стояли и молча смотрели, как огонь с шипением слизывает остатки старой краски.

— Кажется, хватит...— кивнул Вайг.— Теперь не мешайте мне. Все нужно делать быстро, пока мороз снова не схватил...

Глухо звякнул разогретый металл, раздался противный скрежещущий звук, и вскоре запор, на удивление легко, заскрипел и поддался.

— Наверное, из него получился бы отменный взломщик! — обращаясь к Найлу, с некоторым восхищением заметил Симеон.— В другие времена без работы бы он точно не остался...

— Теперь идите за мной! — прошептал Вайг, на губах которого играла довольная улыбка.

Он был явно польщен словами доктора и первым проскользнул в ворота, причем с таким уверенным видом, точно проделывал эту процедуру каждый день.

Чувствуя, как учащенно забилось сердце, Найл последовал сразу за ним, третьим пошел Симеон, поправляя заплечный громоздкий мешок, а за ним внутрь ринулись и Гастурт с Марбусом.

Джелло напоследок осмотрелся вокруг, притворил неприметную дверцу, и замок с противным металлическим щелчком захлопнулся.

В полумраке Найл увидел, что на губах его свиты играли легкие азартные улыбки,— несмотря на все переживания, они явно наслаждались опасностью, таившейся за каждым углом.

Мужчины безумно честолюбивы, и они никак не могли пережить жестоких убийств горожан, да вдобавок еще и позорного плена Главы Совета Свободных.

Как ни странно, но только сам Найл относился к этому философски, пытаясь найти объяснение необычному происшествию, а все остальные были настроены решительно. Вайг, Джелло и Симеон, не говоря уже о горячих Гастурте с Марбусом, все они сейчас мечтали лишь взять реванш и показать паучьему миру, какие они на самом деле герои.

Проскользнув в ворота, они очутились в большом заснеженном дворе.

Справа тянулось высокое, этажа в три, кирпичное здание основного склада: небольшие зарешеченные оконца в два ряда, один выше, другой ниже. В дальнем конце двора виднелось закопченное временем одноэтажное строение, сложенное из грязных бетонных панелей.

Шли они осторожно, но снег под подошвами предательски скрипел, и Найлу казалось, что звук многочисленных шагов раздается на весь двор.

— Что же мы будем делать? — нервно спросил он.— Тут обязательно должна быть охрана. День и ночь тут дежурят сторожевые пауки.

— Охрана обычно торчит у центрального входа, но обязательно должны быть и другие двери. Когда-то я смотрел план склада и знаю это совершенно точно,— прошептал Вайг.— Мы подберемся с другой стороны и посмотрим, что там творится... Не могут же они десять лет подряд оберегать все входы и выходы!

Стараясь держаться только теневой стороны, они гуськом обогнули передний фасад склада и оказались в узком закоулке, в небольшом тупике. Около высокого забора громоздились кучи заснеженных ящиков и коробок, стояли остовы каких-то древних механизмов, ржавые бочки и груды непонятного мусора.

— Так и есть. Вот и боковой выход! Твой брат опять оказался прав! — снова обращаясь к Найлу, удовлетворенно мурлыкнул Симеон, указывая на неприметную дверь, чернеющую в центре кирпичной стены.— Только бы она не запиралась навесным замком изнутри... Тогда ничего нельзя будет сделать. Ну, сейчас проверим...

В полном молчании все наблюдали за ловкими действиями Вайга.

Все стояли тихо, почти не дыша и наблюдали, как он вставил в замочную скважину стальной изогнутый прут и, сконцентрировавшись, начал еле заметно шевелить им, прощупывая недра мощного запора. Взгляд его словно остекленел, в этот момент Вайг ничего не видел, сосредоточив все внимание только на своих ощущениях и на движениях замерзших, но чутких пальцев.

Никогда Найл не смог бы понять, как можно открыть без ключа надежный замок, но старший брат и не собирался в этот момент ничего объяснять.

Внезапно послышался громкий металлический щелчок, и Вайг, удовлетворенно выдохнув, осторожно вытащил из глубокой скважины свою чудесную отмычку.

— Вот так-то лучше, друзья,— тихо заметил он и осторожно потянул на себя массивную круглую ручку.— Ну что, пойдем, посмотрим?

С противным скрежетом дверь подалась и они оказались в маленькой комнатке, совсем не походившей на склад. Скорее, это можно было назвать темной кладовкой.

Дверь вела в небольшое приземистое помещение без окон, очевидно, служившее паукам подсобным целям.

Но сделав пару шагов внутрь, все остановились, как вкопанные и сокрушенно перегляну-

лись. Выходило, что все усилия Вайга пропали впустую,— дальше нельзя было продвигаться!

Все пространство, как и во Дворце Смертоносца-Повелителя, опутывали толстые жгуты паутины...

Бесчисленные нити, пересекавшие комнату в разных направлениях, виднелись на потолке, низко нависающем над головой, на стенах, во всех углах, они перегораживали проход сверху вниз, выписывая самые причудливые узоры.

Треугольники и параллелепипеды, ромбы и трапеции сливались в одну прихотливую вязь и образовывали плотную сеть.

Возникало такое ощущение, что даже самая маленькая мушка не смогла бы спокойно пролететь к двери, темнеющей в глубине. Крошечный, едва заметный червячок не смог бы преодолеть расстояние до следующего прохода без того, чтобы не запутаться в узких ячейках пыльных тенет.

Луч газового фонаря заплясал по стенам и выхватил впереди еще одни массивные двери. Действительно, за ними в глубине склада хранились “жнецы”, и людям, чтобы завладеть оружием, оставалось бы преодолеть всего-навсего метров десять.

Договор о мире был заключен десять лет назад, и его положения казались незыблемы для всех. Но изощренный ум Смертоносца-Повелителя давно предусмотрел развитие событий, которые могли бы развиваться и по другому сценарию.

Владыка слишком хорошо знал убийственные аргументы, вырывающиеся из стволов лазерных разрядников и на будущее предпочел обезопасить свое племя от подобных неприятных неожиданностей.

Сделать и пару шагов вперед к двери невозможно было бы без того, чтобы не соприкоснуться с одной из этих проклятых упругих нитей, заполонивших все пространство.

— Видите, как тут устроена защита? — Найл обратил внимание своих спутников на толстые жгуты, уходящие в куда-то внутрь стен.— Мало того, что неопытный человек обязательно вляпается в паутину... Если он начнет освобождаться из нее и даже тихонько дернет один из концов, по всей сети пойдет сигнал и стражники, торчащие у центрального входа, сразу поднимут тревогу!

— А если сжечь ее? — предложил Билдо.— Если спалить факелами? Тогда мы сможем прорваться к двери и взломать ее!

— Не годится,— тихо, но твердо сказал Найл.— Сейчас охранники ориентируются по напряжению паутины. Вибрации паутины для них это своего рода язык, где каждое движение нитей подобно слову. Если спалить хотя бы одну ячейку, упругая сеть ослабеет, и пауки сразу переполошатся. Не успеем мы взломать двери, как смертоносцы уже будут здесь... Думаю, что нам нельзя даже громко говорить сейчас, иначе они смогут уловить колебание воздуха... Так что ведите себя спокойно и не орите без надобности.

Из глоток Гастурта и Марбуса одновременно вырвался вздох разочарования.

Молодые ребята мечтали дорваться до “жнецов”, они уже предвкушали тот упоительный момент, когда можно будет приложить тяжелый приклад к бедру, как внезапно все рушилось!

С одной стороны, Найл тоже испытывал вполне объяснимую обиду из-за того, что столько трудов пришлось затратить впустую. С другой... он опять испытал чувство банального облегчения.

В его голове сразу промелькнула мысль, что теперь нужно осторожно отступить, отправиться домой и искать какой-то другой выход из трудной ситуации.

— Здесь мы ничего не сможем сделать,— со вздохом покачал он головой.— До разрядников нам не добраться. Нужно возвращаться и собирать полный Совет Свободных, нужно собирать представителей со всех районов Города и вместе решать, что будем делать.

Только слишком плохо он знал своих спутников.

Никто даже не сдвинулся с места. Все буравили взглядами густую паутину и, казалось, хитроумно сплетенные сети должны через мгновение вспыхнуть от той ненависти, которая полыхала в глазах людей.

— Неужели ты и в самом деле хочешь вернуться с пустыми руками? — внезапно спросил Симеон.— Ты, действительно, думаешь, что мы сможем что-то решить на заседании Совета Свободных, пока смертоносцы в очередной раз будут расправляться с мирными беззащитными горожанами.

Черные глаза доктора сверкали из-под густых серебряных бровей. Взгляд его оказался наполнен такой убежденностью, что в этот момент Найл перестал колебаться.

Натура его уже не раздваивалась и он снова превратился в энергичного, цельного, волевого Правителя.

Пока все угрюмо молчали, он напряженно думал. Мысль его металась в поисках верного решения.

— Все-таки внутрь можно проникнуть...— сообщил он после раздумья.

— Через крышу, да? — спросил Вайг, проницательно щурясь.— Заберемся наверх, разберем кровлю и спустимся внутрь?

— Нет, это не годится...

Найл прекрасно помнил, что во Дворце Смертоносца-Повелителя все пространство даже под сводами было опутано густыми прядями паутины.

Кто мог дать гарантию, что внутреннее помещение склада не защищено под потолком точно такими же липкими ловушками?

Ему совершенно не хотелось, пробравшись в здание через кровлю, вместе со своими друзьями угодить точно в расставленные сети. По своему вчерашнему опыту он знал, что освободиться от паутины практически невозможно, и чем энергичнее жертва старалась вырваться из пут, тем сильнее увязала в прочных тенетах.

— Через дверь идти нельзя. Через крышу спускаться тоже слишком опасно,— заметил он.— Остается только один вариант. Попробуем пробраться под землей...

— Что же ты предлагаешь? — хмыкнул Симеон.— Взять в руки мотыги и быстро сделать подкоп?

Вместо ответа Найл отошел немного в сторону и присел на корточки, что-то высматривая на полу. Потом попросил Джелло:

— Дружище! Посвети, пожалуйста, в этот угол!

Светлый желтоватый луч уперся в какую-то круглую крышку, смутно выглядывающую из толстого слоя пыли, покрывавшего бетонную подушку пола.

Десять лет назад, во время заключения Договора было решено не уничтожать все оружие, а только изолировать его в одном месте, чтобы в случае внезапной внешней агрессии люди смогли бы оказать отпор появившемуся врагу.

Пауки не умели, да и физически не смогли бы пользоваться разрядниками, все эти годы они только стерегли арсенал. Найл вместе с Вайгом тогда сам подыскивал подходящее помещение для хранения "жнецов", он в свое время пересмотрел с десяток пустующих складов на окраине Города, пока не остановился на этом.

Естественно, что в силу своей дотошности он тогда досконально изучил не только особенности планировки здания, но и все окружающие окрестности.

Он прекрасно помнил, что все пространство под мрачным трехэтажным зданием с древних времен пронизано сетью подземных коммуникаций.

— Дружище, попробуй открыть люк! — приказал он начальнику охраны.— Сейчас мы глянем, что творится внутри. Будем надеяться, что смертоносцы забыли про этот ход и не опутали его своей паутиной!

Джелло расчистил пыль подошвой сапога, ловко подцепил крышку тупым концом гарпуна, и она в глухим скрежетом сдвинулась с места.

Здоровенный охранник без малейшего усилия отвалил в сторону невероятно тяжелый диск, и их взглядам открылось круглое отверстие колодца.

— Прикройте наружную створку, чтобы сквозняк не шевелил охранную паутину! — скомандовал Джелло юношам.

— Слушаемся, мастер! — негромко, но одновременно отозвались Гастурт и Марбус.

Они разом, чуть не столкнувшись головами, ринулись к выходу и плотно затворили дверь,

6 Зак. 3230

а их начальник направил луч фонаря вглубь, заметив:

— Что же, пока сетей там не видно... не так и плох...

Найл не стал ждать, пока створки плотно закроются, а решительно спустил ноги в колодец и исчез внутри, углубившись в черную зловонную дыру.

Сначала шла вертикальная узкая шахта длиной примерно метров в пять, ведущая в прямоугольный туннель со сводами, покрытыми толстыми слоями слизистой зеленоватой плесени. Он соскочил с последней ступеньки и остановился.

За его спиной Симеон и Джелло, бесшумно спустившись по ржавой металлической лестнице, одновременно запалили газовые фонари. В свете пары тусклых лучей перед глазами замелькали немыслимые изгибы старых грязных труб и проводов, тянущихся в черную бесконечность лабиринта.

— Пока что не двигайтесь! — предупредил Найл.

Внимательные взгляды ощупывали буквально каждый дюйм пространства, пытаясь отыскать хоть какие-то следы тенет смертоносцев. Несколько минут никто из них троих не двигался, они изучали новую обстановку, но следов охранной паутины нигде не было видно.

— Вперед! Теперь можно идти! — запрокинув голову, скомандовал Найл оставшимся наверху.— Кажется, сигнализации здесь нет. Похоже, что восьмилапые совсем забыли об этом подземном проходе!

Отряд двинулся по душной горизонтальной шахте, высотой примерно метра в два и шириной метра в полтора. Все притихли и настороженно оглядывались, впервые попав в такое место.

Никто из них, пожалуй, кроме Найла, и не подозревал, что под Городом расположена огромная разветвленная система подземных коммуникаций.

В древности, еще до Катастрофы, эти скрытые от глаз проходы составляли единое целое с видимой, надземной частью мегаполиса.

Разветвленная сеть подземных проходов представляла собой множество глухих коридоров, устроенных так, что каждый неизбежно пересекался с другими, и была неотделима от многоэтажных башен и просторных площадей, от небольших приземистых домов и широких улиц.

Как предполагал Найл, здесь не существовало ни центра, ни периферии, одна линия перетекала в другую, как сеть кровеносных сосудов. Безграничный и неисчерпаемый мир подземных лабиринтов был почти незнаком ему и представлялся одним гигантским тупиком.

Но все-таки ситуация требовала смелых поступков, казалось, что предстоит преодолеть совсем небольшое расстояние, и он решился провести по лабиринту своих товарищей, чтобы завладеть оружием.

В полумраке, в неверном свете фонарей и креозотовых факелов, ориентироваться оказалось не так и легко. Неверные тени мелькали и метались по скользким стенам, а в тишине приглушенно раздавался шум осторожных шагов.

Спертый воздух заполнял легкие непередаваемым, головокружительным смрадом. Даже копоть смолистых факелов казалась тут какой-то ароматной...

Дышать было трудно не только Гастурту и Марбусу, выросшим в цивилизованных городских условиях, но даже и закаленному Найлу.

Он привык спокойно переносить разные дурные запахи, проведя большую часть своего детства в душной, раскаленной хайбадской пещере, постоянно наполненной зловонием,— там немытые люди спали, хранили запасы съестного и готовили пищу, в одном углу ужинали, а в другом углу отправляли свои естественные надобности.

Да и тот, кто хоть раз в жизни летал на паучьем шаре наполненных смердящим запахом скунсовых губок, навсегда получал иммунитет к самому оголтелому зловонию. Но чудовищная атмосфера подземного лабиринта постоянно заставляла содрогаться даже его.

Дорога оказалась не так коротка, как он предполагал вначале, и сначала заставила всех пережить ужасные минуты.

Сперва отряд двигался по горизонтальной шахте, в которую вел узкий колодец и казалось, что вскоре они окажутся прямо под арсеналом...

Но сразу после поворота лабиринт внезапно стал поворачивать влево и по всем расчетам начал уводить в сторону.

Когда стало ясно, что эта линия лишь отдаляет от цели, все остановились.

— Что будем делать? — надсадно просипел Биллдо, прикрывая рот воротником туники.— Вернемся и поищем другой путь?

— Давайте продвинемся еще немного вперед...— тяжело дыша, предложил Симеон.— Кто его знает, вдруг скоро этот коридор снова повернет, на этот раз в сторону арсенала...

Предусмотрительный Вайг оставил на стене опознавательный знак и отряд отправился дальше.

Часть этого отрезка пути им пришлось пройти по щиколотку в какой-то непонятной густой жидкости. Пришлось срочно выпустить капюшоны туник, чтобы проскользнуть под монотонным дождем смердящих вязких капель, сочившихся с прогнившего потрескавшегося потолка.

— Как ты думаешь, что это такое? — едва слышно спросил Найл у Симеона.

Доктор, казалось, каким-то особым образом распушил свою густую бороду и использовал ее в качестве противогаза. Судя по его внешнему облику, на него окружающий смрад действовал не особенно эффективно,— выглядел он самым бодрым, несмотря на то, что был старшим в их небольшом отряде.

— На отравляющее вещество не очень похоже,— задумчиво произнес Симеон.— Хотя это и мало приятная штука, но, мне почему-то кажется, для человеческой жизни это не особенно опасно.

Через несколько десятков метров шахта стала заметно расширяться.

— Смотрите, как стали гореть факелы...— первым обратил внимание Вайг.— Раньше все время пламя загибалось назад, а теперь нет. Что там, впереди?

Биллдо остановился на мгновение, послюнил палец и поднял его вверх.

— Действительно, движения воздуха здесь никакого нет,— согласился он.— Похоже, что там какой-то тупик...

— Поворачиваем! — предложил Найл.— Нужно вернуться к колодцу и попробовать обойти другим коридором.

— Подождите, подождите! — вмешался рассудительный доктор.— Мы столько прошли, столько перетерпели из-за этого смрада. И что, возвращаться так просто?

— Что же ты предлагаешь?

— Пусть Гастурт и Марбус продвинутся вперед и разузнают обстановку. Мы пока останемся здесь и немного передохнем,— сказал Симеон.— Время уже позднее, неизвестно, сколько нам еще блуждать тут. Мы должны думать о том, чтобы сберечь как можно больше сил.

Предложение это Найл счел вполне разумным, но Джелло не отпустил ребят одних. Несмотря на свою кажущуюся суровость, грозный начальник охраны внимательно и с большой любовью относился к своим питомцам и в глубине души всегда считал их маленькими детьми.

— Я тоже пойду с ними,— буркнул он, высовывая губы из-под воротника туники.— Я еще совсем не устал, так что отдыхать мне не время.

Захватив газовый фонарь и один из креозотовых факелов, трое охранников отправились во мглу.

Оставшимся троим даже нашлось небольшое место для отдыха, Найл вместе с ними притулился на крупной старой трубе, тянувшейся вдоль темного коридора и выглядевшей еще достаточно надежно.

— Мы пока промочим горло, насладимся волшебным напитком,— сказал Симеон, тяжело вздыхая.— Нужно немного поддержать себя...

Из внутреннего кармана своей туники доктор достал круглую, почти плоскую флягу, изготовленную особым образом,— для этого был использован высушенный плод утреннего делиума.

Это необычное, очень редкое растение, произрастающее только в районе Великой Дель-

ты, было знаменито тем, что его ягоды, покрытые толстой прочной кожицей, сохраняли свои качества даже через много лет. Поэтому так ценились бутылочки, искусно сделанные из высушенных плодов.

Простая речная вода, наполненная во флягу из делиума, уже через пару часов приобретала изысканный, нежный аромат. Вкус у воды совершенно изменялся, становился чуть вяжущим, прекрасно утолял жажду и заметно бодрил, придавая сил.

— Попробуй, дружище! — предложил ему врач.— Такой напиток нисколько не помешает!

В очередной раз Найл, с наслаждением сделав только один глоток, поразился чудодейственным качествам этого растения. Вода не туманила, не кружила голову, как спиртное и разум оставался совершенно ясным. В тоже время организм ощущал мощный прилив сил, причем почти сразу, словно ароматная влага, попадая в кровь, невероятным образом сразу удаляла из тела усталость.

Если бы его еще можно было использовать почаще!

Только давно уже было доказано, что утренний делиум, как и все растения Дельты, нельзя использовать в больших дозах,— тогда он начинает вредно действовать на многие внутренние органы, словно сжигая их и очень скоро может привести к неизлечимым тяжелым болезням.

В подземном лабиринте настой этого редкостного растения оказался как нельзя более кстати.

Мудрый Симеон рекомендовал сделать всего по паре глотков, но и этого оказалось вполне достаточно, чтобы Найл перестал так обостренно чувствовать окружающее зловоние, перестал испытывать недостаток свежего воздуха и усталость, ноющую в теле после всех испытаний, который пришлось пережить за последнее время.

Неожиданно с той стороны, в которой скрылись охранники, раздался глухой крик.

— Что это? — встрепенулся Вайг.— Вы слышали?

Звуки повторились еще раз. Оттуда до слуха совершенно отчетливо доносились взбудораженные вопли.

— Что-то случилось! Проклятие! — выругался Найл, мгновенно соскочив с трубы.— Скорее бежим к ним!

Воображение уже рисовало ему ужасные картины стычки его людей с пауками. За одно мгновение сознание успело перебрать бездну различных вариантов, но в глубине души он был уверен, что Джелло со своими воспитанниками угодил в ловушку, запутавшись в охранной паутине, и теперь нужно ждать появления дежурных смертоносцев.

Он бежал туда, готовясь к самому худшему, и все же действительность оказалась еще страшнее...

Через несколько мгновений из мрака вынырнули фигуры Гастурта и Марбуса. Ребята в глубине души считали себя закаленными бойцами, но в этот момент даже беглого взгляда на них было достаточно, чтобы понять, как охранники напуганы. Даже в тусклом свете было заметно,— их лица побледнели настолько, что выступают из мглы слабо светящимися дисками.

— Что случилось?! — спросил Найл.— Где Джелло?!

— Мастер остался там...— прерывающимся, чуть дрожащим голосом ответил Гастурт. — Мастер послал нас за вами...

— Он жив?

— Жив...

— С ним что-то произошло?

— Нет...

— Так почему вы кричали?!

Гастурт и Марбус переглянулись друг с другом, ужас еще сильнее проступил на их лицах и Найл только с досадой махнул рукой.

— Ладно, разберемся! — коротко бросил он.— Вперед!

Расширяющий ствол шахты ощутимо шел вверх и вскоре уткнулся в небольшое помещение, отделенное от коридора полукруглым сводом арки.

У низкого проема с факелом в руке неподвижно, словно изваяние, стоял Джелло.

Таким еще Найлу не приходилось его видеть...

Грубое, суровое лицо начальника дворцовой охраны в этот момент выглядело, как каменное. Стиснутые челюсти, угрюмо сверкающие глаза...

Казалось, что он, того и гляди, разорвет пополам любого врага, попадись тот сейчас ему на пути. Ментальные импульсы, излучаемые мозгом Джелло, заставили Найла внутренне содрогнуться.

Сгустки отрицательной психической энергии, вибрирующими кольцами исходящие от всех троих охранников, уже наполнили сознание Найла страшными, гнетущими ощущениями.

Только впервые в его жизни действительность даже превзошла интуицию. Ко всякому он готовился внутренне, но то, что он увидел через несколько секунд собственными глазами, ошеломило его.

— Что произошло? — спросил Найл.— Что вы обнаружили тут?

Без слов начальник охраны кивнул на темное помещение, замыкавшее ствол тупика.

Желтое пятно фонаря заплясало по нависающему потолку, по влажным облупившимся стенам и уткнулось в какую-то непонятную кучу, неясно белеющую во мраке среди комнаты.

— Проклятие... Неужели это возможно?.. — хрипло спросил Найл, с напряжением всматриваясь в полутьму.— Что здесь произошло?

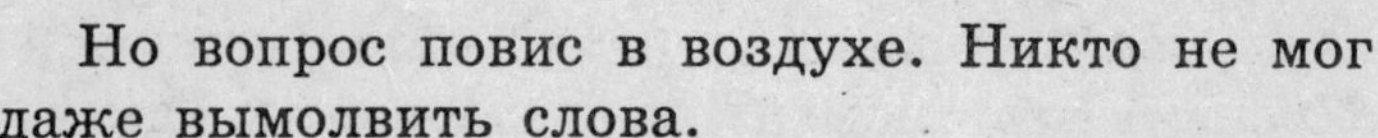

Но вопрос повис в воздухе. Никто не мог даже вымолвить слова.

За его спиной стояли Вайг с Симеоном. В тишине, казалось, было слышно, как яростно вибрирует ужас в их головах.

Капли пота выступили на пульсирующих висках Найла. Сердце колотилось, как бешеное, оно начало разрастаться в груди и подступать к горлу липким комком тошноты, стоило ему только рассмотреть, из чего состоит эта странная светлая куча.

В конце тупика, замыкающего одну из шахт подземного лабиринта, на прямоугольной бетонной плите возвышалась массивная пирамида, аккуратно сложенная из множества человеческих черепов, взирающих во тьму коридора бесчисленными пустыми глазницами...

ГЛАВА ПЯТНАДЦАТАЯ

Многое Найлу довелось увидеть за свою жизнь. Во время жизни в Северном Хайбаде мрачная тень смерти постоянно надвигалась не только на него самого и его родственников, но и на каждого из обитателей пустыни.

Когда он был еще ребенком, на его глазах однажды чудовищных размеров скорпион едва не уволок в свое логово младшую сестренку Мару.

Долго еще потом в памяти Найла возникали воспоминания о гигантских клешнях, безжалостно сжимавших ее тщедушное детское тельце, а в нос каждый раз шибала вонь темной пещеры, усеянной останками жуков и сверчков, раскромсанными мощными клыками скорпиона...

День и ночь вокруг их жилища рыскали в поисках добычи полчища хищные насекомых— гигантов, жаждавших вволю полакомиться человеческим мясом.

Чего стоила одна только неутомимая фаланга, чье бездонное мохнатое чрево, казалось,

готово было проглотить всех обитателей пустыни, попавших в поле ее зрения.

Найл не раз наблюдал издалека, как ненасытная фаланга настигает свою добычу, набрасывается на нее и за несколько мгновений разрывает ее на куски пыльной плоти. Не отставали от фаланги и проворные, фантастически прожорливые жуки-скакуны, раскусывавшие шипастыми челюстями даже самые твердые и неприступные хитиновые панцири своих жертв.

Ему казалось, что ничего опаснее и страшнее, чем жизнь в пустыне, быть не может, но оказалось, что жестокая воля пауков-смертоносцев несет с собой гораздо более сильный заряд ужаса.

Во времена рабской жизни в Паучьем городе смерть ходила по пятам за каждым жителем, почти без исключения.

Голодный паук мог обрушиться на любого горожанина сверху, из тьмы, паук мог вонзить в него гигантские клыки и взмыть вверх на нити паутины, причем с такой быстротой, что окружающие не успевали порой даже закричать от ужаса.

Но почти в каждом случае речь шла о жестокой борьбе за выживание. Для жертв, конечно, это не имело значение, но хищные насекомые убивали только для того, чтобы насытиться.

Сейчас же, в подземном лабиринте Найл всеми силами души чувствовал, что черепа несчастных людей собраны здесь не просто так, а для какого-то непонятного, чудовищного, немыслимого обряда. Они лежали не беспорядочной кучей, а изображали некую фигуру.

Интуитивно он ощущал, что здесь недавно побывала какая-то неведомая сила. Его телепатические импульсы смутно чувствовали ее, но не могли пробиться к ее энергетической сущности.

Даже на подсознательном уровне он не мог приблизиться к неизвестной субстанции, и от этого странно покалывало в кончиках пальцев.

Ему давно было известно, что часть смертоносцев поклоняются не только Богине Дельты, не только Повелительнице Великой реки Нуаде.

Некоторые паучиные семьи из них с древних времен чтили черного, зловещего паучьего бога по имени Иблис.

Неужели ужасная находка представляла собой свидетельство тайного жертвоприношения?

Богиня Дельты, исполинское растение, наделенное сознанием, давала паукам жизненную силу.

Смертоносцы выросли до гигантских размеров и овладели телепатическим искусством за счет своей способности улавливать ментальную вибрацию, излучаемые колоссальным мозгом Нуады.

Сознание космической пришелицы, постоянно пульсирующее, описывало своеобразные окружности, с каждым витком расширяясь все дальше и дальше в пространстве, пока не раскидывалось огромным чутким кругом, охватывающим все доступные ей пределы. В тот миг, когда в разные стороны расходилось самое большое вибрирующее кольцо, ментальные импульсы на несколько мгновений исчезали, и тут же все начиналось сначала, с небольшого дрожащего радиуса, опоясывавшего только сам массивный корпус растения-властителя.

Своей невероятной энергией Богиня Дельты подпитывала пауков, но не требовала ничего взамен.

Ей достаточно было сложившейся в мире гармонии, установившегося динамического равновесия, при котором разнонаправленные силы людей и смертоносцев не нарушают хрупкого баланса.

О другом паучьем кумире, о безжалостном Иблисе, Покровителе Черной Ночи, Найл мало что знал.

Те восьмилапые, с которыми он раньше общался, очень неохотно делились сведениями об нем.

Из скупых фраз-импульсов можно было только сделать вывод о том, что это тайное божество отличается жестокостью и служение ему постоянно требует кровавых ритуальных обрядов.

Естественно, что в качестве своих жертв пауки никогда не приносили баранов или коров.

Бессердечная натура черного Иблиса требовала только теплой человеческой крови. Не случайно, что главным его поклонником во все времена был Смертоносец-Повелитель по имени Хеб, жуткий стоокий тарантул, первым научившийся читать человеческие мысли и много лет назад проникший в тайны человеческой души.

Неужели в Городе появилась группа пауков, втайне поклонявшихся проклятому Иблису? И знает ли об этом смертоносец-Повелитель?..

Все эти мысли мрачным вихрем пронеслись в голове Найла, когда он увидел груду человеческих черепов. Спутники не меньше его были раздавлены зрелищем страшной находки.

— Теперь ты понимаешь, почему мы должны завладеть “жнецами”,— с трудом сдерживая свою ярость, промолвил Биллдо.— Смертоносцы убивают наших горожан... пауки утаскивают их живыми сюда, под землю... здесь над нашими братьями и сестрами издеваются и даже после смерти не дают покоя... их черепа громоздят друг на друга! По обычаю наших предков после смерти тело человека должно быть предано земле, а восьмиглазые твари измываются над замученными людьми...

Горло Доггинза перехватывало от ненависти и злобы. Да и все остальные клокотали от ярости и отвращения, каждый мечтал только о мести.

Найл и сам ощущал, как внутри него пульсирует мысль о скором возмездии, как с каждым невидимым толчком эта идея разрастается в его рассудке пухлым кровавым пятном и постепенно затмевает в сознании все остальное.

Чувство мести в отношении Смертоносца-Повелителя, принявшее облик ненасытного зверя, глодало и выжигало его мозг до такой степени, что он потерял на время рассудок и был лишен способности думать о чем-либо другом.

— Ты можешь сказать, как долго они лежат в лабиринте? — задумчиво спросил Найл у притихшего Симеона.— Когда убили всех этих несчастных?

У него в душе теплилась слабая надежда, что гора черепов хранится здесь давно, долгие годы, еще со времен рабства, когда пауки безраздельно владели Городом и занимались людоедством совершенно безнаказанно. В этом случае мысли о мести нужно было бы отбросить,— находка была действительно страшна, но если все происходило до заключения Договора, люди не имели никакого права на возмездие.

С трудом Симеон заставил себя приблизиться к ужасной пирамиде. Он приказал Гастурту и Марбусу встать с фонарями по обе стороны от кучи и безжизненные лучи уставились на черепа.

Как бы не было тяжело Найлу, как бы ни хотелось ему отвернуться, он приказал себе не отводить взгляда.

Мрачные мысли одолевали его, когда желтые полосы света выхватывали из тьмы пустые глазницы, провалы носов, разверстые в страшной ухмылке рты...

Когда-то все это были живые люди. Они радовались и печалились, плакали и смеялись. А потом некая безжалостная сила вдруг ворвалась в их жизнь и выпила дыхание, превратив цветущих людей в жалкие бледные обломки, наваленные друг на друга в подземном тупике...

— Мне трудно сказать, сколько времени лежат здесь все черепа...— сообщил, наконец, Симеон.— Мне нужно было бы разобрать всю груду, рассмотреть все кости по очереди... Могу утверждать только одно, самые верхние попали сюда совсем недавно. Самые верхние выделяются от других по цвету, они самые белые, потому что еще не успели потускнеть под землей... Там, на самой вершине кучи лежат совсем маленькие черепа, непохожие на остальные. Думаю, что это были детские головки...

— Хочешь сказать, что это ребятишки хромоногого Имро Сапожника и его друга Флода? — уточнил Найл.

— Не знаю... но все может быть...

— Что будем делать? — сурово спросил Вайг.— Нельзя же их оставить здесь? Мы не можем сделать вид, что ничего не обнаружили!

— У нас есть цель! — решительно возразил Найл своему брату, заслужив горячее одобрение Биллдо и Джелло.— Прежде всего, мы должны завладеть "жнецами" и отомстить Смертоносцу-Повелителю, вместе со всеми его прихвостнями... Потом мы обязательно возвратимся сюда и останки наших горожан будут преданы земле!

— Совершенно согласен! — угрюмо прорычал Доггинз.— Мы не забудем об этом даже тогда, когда спалим все паучьи гнезда!

Отряд повернул обратно и вышел из тупика.

Все шли в молчании, никому не хотелось больше говорить. Никто не смог бы с уверенностью сказать, сколько жителей города нашло мученическую смерть в этом гнусном месте.

Для того, чтобы хоть как-то поддержать дух в своих спутниках, Симеон попросил об остановке. Полы его походной туники распахнулись, а из одного из бесчисленных карманов была извлечена небольшая бутылочка.

Лишь только горлышко этого сосуда освободилось от пробки, зловоние подземного коридора прорезал необычайно свежий и сладкий аромат.

Для Найла не составило труда припомнить, что этот запах принадлежит раствору легендарного ортиса.

“Надо же, как бывает,— невольно усмехнулся он про себя.— На днях этим раствором Симеон врачевал безутешного Имро Сапожника, падавшего от слабости, а теперь, чтобы успокоиться, приходиться вдыхать ортис и всем остальным, лучшим воинам...”

— Попробуйте немного, это сейчас каждому необходимо,— угрюмо посоветовал доктор и они тронулись дальше в путь.

Вскоре они достигли колодца, через который проникли в лабиринт, и на этот раз повернули в другую сторону.

Очередной рукав вывел их на громоздкую металлическую дверь, в центре которой виднелся поворотный круг внутреннего замка, напоминающий штурвал.

— Это по моей части,— поспешил сообщить Вайг.

Несколько томительных минут он колдовал над замком, приникнув ухом к холодной створке. Потом, действительно, отворил тяжелую дверь, повернув с ржавым скрипом гигантское кольцо.

— Похоже на то, что нам, действительно, нужно именно сюда,— подтвердил Найл, проверив направление.

Миновав еще несколько узких секций тоннеля, когда они в очередной раз завернули за угол, Найл сверил координаты и сообщил:

— Все. Кажется, добрались... Если мы с братом не ошибаемся, арсенал должен находиться сейчас точно над нами

Отвесно вверх уходила вертикальная лестница, напоминающая ту, по которой они не так давно проникли в лабиринт.

— Я пойду вперед! — приглушенно сказал начальник дворцовой охраны, поправляя на спине тускло поблескивающий цилиндр пневматического гарпуна.

Несмотря на свои внушительные габариты, двигался он с удивительной легкостью. Ветхая лестница поскрипывала и шаталась под настойчивым напором, а он, несмотря ни на что, цепко и проворно взлетел наверх.

Скоро над головой послышался тихий скрежет.

Джелло отодвинул в сторону массивную крышку люка и внутрь туннеля внезапно полились лучи тусклого желтого света. Сердце Найла настороженно замерло. Он представлял себе, что если там, в арсенале, горит свет, значит кто-то внутри есть.

Но, к его удивлению, начальник охраны никого не обнаружил и скоро сверху раздался его сдавленный голос:

— Тут пусто! Я жду вас!

Он первым выбрался наружу, освобождая проход для остальных.

Поднявшись по отвесной металлической лестнице, покрытой толстым слоем скользкого налета, отряд очутился в просторном высоком помещении казематa без окон, освещенном десятком тусклых факелов.

Снизу до самого верха стены были облицованы грязно белыми плитками, а по обеим сторонам зала тянулись узкие галереи, своеобразные металлические мостики, уходящие ввысь, в тьму неопределенности.

В противоположном углу каземата, на расстоянии примерно пары десятков метров от колодца, виднелось то, ради чего они пришли сюда, несмотря на смертельную опасность.

Там громоздились продолговатые узкие металлические ящики-футляры с аббревиатурами "А.Л.Р.", каждый сантиметров десять шириной и длиной с полметра.

Все выглядело так же, как и десять лет назад, когда Найл, согласно заключенному Договору, привез сюда все имеющиеся "жнецы", предварительно упаковав их для сохранности в специальные военные футляры.

Не все друзья целиком и полностью одобряли его,— старина Биллдо просто сгорал от ярости при одной мысли о том, что люди остаются без оружия.

Доггинз, к примеру, был абсолютно уверен, что сразу после консервации разрядников в арсенале смертоносцы вероломно начнут войну, и дело закончится кровавой резней, за которой последует очередное безрадостное рабство.

Десять лет его мрачные предчувствия не сбывались, хотя Биллдо постоянно брюзжал о коварстве “мохнатых раскоряк”. Но вот, кажется, наступил момент, когда необходимо сделалось признать правоту старого подрывника...

Глаза Доггинза засветились , когда он снова, после долгого перерыва, увидел металлические футляры. В этот момент он напоминал человека, наконец достигшего своей заветной жизненной цели.

— Ну, что, приятели, знаете ли вы, что означают буквы “А.Л.Р.”? — спросил он у молодых ребят.— Это, братцы, мощь в чистом виде! Сила, способная переделать весь этот долбаный паучий мир по твоему желанию! Торжество человеческого разума! Автоматический лазерный разрядник, прах побери всех этих мохнатых раскоряк! Теперь оружие у нас в руках! Будь я проклят, если мы снова не превратились в настоящих мужчин! Сейчас я вам покажу эту красотищу!

Он решил, не медля ни мгновения, продемонстрировать Гастурту и Марбусу все великолепие “жнецов” и так воодушевился, что ринулся к противоположной стене каземата, забыв обо всем на свете.

Несмотря на предостерегающие крики, Доггинз смело направился к футлярам, прошел несколько метров и внезапно замер, как вкопанный.

Через мгновение он уже беспомощно барахтался в воздухе, натолкнувшись на невидимое препятствие.

— Проклятие! Прах и пепел...— ревел он с досадой.— Что это за дрянь... Я во что-то вляпался!

ГЛАВА ШЕСТНАДЦАТАЯ

Билл Доггинз топтался на месте, пытаясь освободиться и странно размахивая руками. Высокие своды помещения оглашались его громкими отборными ругательствами.

Как оказалось, все эти годы Смертоносец—Повелитель не доверял до конца людям. Владыка предусмотрел вариант, при котором кто-нибудь из горожан все-таки сможет проникнуть в каземат, минуя охрану. Поэтому вокруг “жнецов” и были расставлены едва различимые в полумраке ловушки.

Все пространство, отделяющее штабеля от остального пространства, снизу доверху было забрано тончайшей, почти незаметной сетью паутины.

От подъема радостных чувств Биллдо не увидел опасные серебристые ячейки и со всего маха врезался в западню.

Рассмотрев узкие, почти невидимые нити, Найл мог бы поклясться, что они никак не могут принадлежать смертоносцам. При всем желании черные гиганты не смогли бы выпускать из своего брюха такие тончайшие, но удивительно крепкие жгуты.

Память подсказала ему, что в хайбадских краях водились шатровики, пауки не очень небольших размеров, устраивавшие засады в зарослях кустарников. Шатровики охотились на существ среднего размера, но были очень опасны и для людей,— завидев одинокого человека, пауки молниеносно раскидывали на тропах липкие невидимые тенета. Шатровики очень быстро сплетали тонкие и очень прочные сети, от которых почти невозможно освободиться без посторонней помощи, особенно если во влажной паутине сразу увязали обе руки.

Скорее всего, при охране каземата дело не обошлось без этих хищников пустыни. Найл ума не мог приложить, каким образом черные смертоносцы сконструировали такую систему защиты, да еще и держали в арсенале шатровиков, ведь, судя по влажности нитей, паутина была соткана совсем недавно.

Несколькими взмахами острого клинка Джелло освободил взрывника из ловушки, но радоваться слишком долго не пришлось.

Невидимая сеть шатровика каким-то образом присоединялась к общей охранной паутине.

Как только воодушевленный Биллдо угодил в тенета, тотчас же по всем линиям пошли колебания, подавшие на главный вход сигнал тревоги.

Почти физически Найл ощутил, как основная паутина мощно задрожала от того, что по ней стремительно ринулись сторожевые смертоносцы.

— Вперед! Всем приготовиться! — крикнул он.— Нет времени!.. Через несколько секунд они будут здесь!..

Отряд молниеносно бросился к металлическим футлярам, и впереди всех вырвался Доггинз, забавно размахивающий белесыми обрывками тонкой паутины, налипшей на рукавах туники.

Получилось так, что он побежал раньше всех и единственный умудрился схватить запакованное оружие.

Все остальные не успели, хотя им оставалось преодолеть всего лишь каких-то несколько метров...

Мрачные ожидания не подвели Найла.

Лишь взрывнику, лихорадочно рванувшему к “жнецам”, каким-то чудом удалось ухватить в руки металлический футляр. В тот момент сверху посыпались смертоносцы. Три сторожевых паука черным смерчем пронеслись от своего поста по паутине, завешивающей потолок здания, и на толстых жгутах спикировали вниз, преграждая людям путь к лазерным разрядникам.

Один из дежурных смертоносцев, явно самый старший, грозно нацелился на Биллдо головой угольного цвета, испещренной глубокими извилистыми морщинами. Два других, явно помоложе, повернулись к своему начальнику спиной и застыли в напряженных позах, угрожающе выставив по направлению к отряду огромные клыки, блестящие в тусклом свете от густой обильной слюны.

Повинуясь какому-то бессознательному толчку, Найл быстро нагнулся и подобрал обрезок старой металлической трубы. Весь пол усеивали куски подобного хлама, и пауки, не видящие смысла в наведении порядка, не собирались ничего убирать вокруг, долгие годы безучастно взирая на кучи производственного мусора, валявшегося повсюду.

Судя по ощущениям, эта труба тянула килограмма на четыре с половиной, или даже на пять. Конечно, увесистая железка не могла принести никакой пользы в борьбе с колоссальными пауками, но, как ни странно, придала Найлу иллюзорное ощущение уверенности.

Между тем, Биллдо оказался отрезан пауками от остальных.

— Чего вам тут нужно, волосатые мешки с дерьмом? — свирепо кричал он и обращал свой гнев на старшего паука.— Мохнатая ты падаль, тварь вонючая!

В свою очередь смертоносец неумолимо оттеснял его в сторону.

Подрывник пятился от надвигающейся на него громады, но не выпускал заветный футляр с надписью "А.Л.Р.", хотя тот и заметно оттягивал руки. При своих внешних миниатюрных размерах лазерный разрядник всегда поражал всех основательной увесистостью. Тянул он вместе с футляром килограмм на шестнадцать, поэтому Доггинзу приходилось нелегко,— он отходил спиной назад и одновременно пытался вытащить зачехленное оружие.

У Найла не оставалось никаких сомнений в том, что сторожевые пауки уже сообщили о нападении по единой телепатической связи, объединявшей их со всем племенем. Со всей уверенностью можно было сказать, что Смертоносец-Повелитель уже осведомлен обо всем и отдал приказ не убивать людей, а захватить их в плен живьем.

Только этим можно было объяснить, что сторожевые пауки не обрушились сразу на них, а только преградили доступ. Восьмерки их круглых глаз, охватывающих сферические черные головы по "экватору", зашевелились и гневно вспыхнули красными изогнутыми пунктирными полосами.

Стражники не двигались с места, а посылали мощные угрожающие импульсы, способные свалить неопытного человека с ног.

Найл успел вовремя развернуть ментальный рефлектор активной стороной к груди, но все равно, ему было очень нелегко отражать бесконечные атаки и отводить в стороны сгустки зловещей энергии, направленные не только на него самого, но и на остальных спутников.

Один из телепатических ударов больно задел Биллдо.

Найлу было хорошо видно, как Доггинз даже отшатнулся назад, а лицо его перекосила болезненная гримаса. Руки затряслись и чуть не выпустили увесистый футляр, который он все еще никак не мог открыть дрожащими пальцами.

Паук набычился и сделал движение вперед, выплевывая новый психический сгусток, отчего Биллдо болезненно вскрикнул и стал медленно оседать, по-прежнему не выпуская запакованный разрядник из пальцев.

Найл почувствовал, что задыхается от ненависти и отчаянно крепко сжал в руке металлическую трубку. В одно мгновение он смог сконцентрировать свои силы и послать в сознание морщинистого паука психический заряд такой интенсивности, что старший стражник вздрогнул и даже развернулся, на какое-то время оставив слабеющего Доггинза в покое.

— Чтобы ты сдох, урод! — крикнул Найл, и его нервно напряженный голос зазвенел под высокими водами каземата.

С помощью действия своего золотистого медальона он смог сделать то, над чем часто тренировался,— ему удалось скоординировать воедино мыслительные колебания мозга, сердца и солнечного сплетения. Через мгновение это вдохнуло в него новые силы, и он нанес еще один ментальный удар в сторону паука, нападавшего на Биллдо.

Пучок энергии вырвался, попав точно в сознание мохнатой твари. В тоже время Найл рефлекторно, без участия своей воли завел правую руку назад, как бы замахиваясь и натягивая невидимую тугую пружину для мощного броска.

Смертоносец явно не ожидал такого ощутимого ментального удара.

Он отшатнулся примерно на три метра назад, и глаза его изумленно задвигались в разные стороны, как будто существовали своей собственной жизнью.

Природа, помимо прочих способностей, наградила черных гигантских пауков и уникальным зрением.

Пара главных, длиннофокусных глаз, выпирающая двумя буграми в середине черной головы, могла не хуже бинокля приближать предметы, находящиеся на значительном расстоянии.

Вокруг этих крупных, выпученных, основных глаз, ожерельем раскинулись блестящие круглые бусины периферийных, обогащающих центральный обзор дополнительными ракурсами со всех сторон.

Боковые глаза, снабженные особыми мускулами, могли не только поворачиваться вверх и вниз, вправо и влево. Они были способны сдвигаться со своего места и при необходимости даже перемещаться по голове на небольшое расстояние.

От нацеленной концентрированной атаки смертоносец опешил и на пару мгновений даже потерял контроль за собой.

Глаза его, точно предоставленные сами себе, стали хаотично перемещаться по морщинистой полусфере черепа, как будто имели небольшие ножки.

В этот момент “пружина”, согнутая мускулистой рукой Найла, распрямилась, и ржавый металлический снаряд полетел прямо в его сторону.

Пущенная пятикилограммовая трубка с такой силой врезалась в паучью спину, что отлетела на несколько десятков метров в сторону и врезалась в кафельную стенку, раскрошив несколько грязных облицовочных плиток.

Только мохнатый стражник точно даже и не почувствовал такого удара. Всем даже показалось, что его пасть ощерилась, изобразив что-то наподобие издевательской улыбки.

Восьмилапый развернулся, и было понятно, что через мгновение он снова займется бедолагой Доггинзом.

— Держись, старина! — громогласно взревел Джелло.— Прах их всех побери. Сейчас мы покажем мохнатым уродам, кто настоящий хозяин в Городе!

В его вскинутых руках матово блеснул широкий ствол пневматического гарпуна.

7 Зак. 3230

Это древнее оружие, предназначенное для охоты на касаток и небольших китов, неизвестно как попало тысячу лет назад в Город. Может, кто из его бывших жителей подрабатывал этим морским промыслом, а может и сам изготовлял подобное снаряжение.

Начальник дворцовой охраны к своему восторгу обнаружил гарпун совсем недавно в одном из заброшенных подвалов здания Совета Свободных.

В соответствии с Договором, люди не имели права владеть лишь "жнецами" и огнестрельным оружием, а гарпун, по всем признакам, попадал в одну группу с холодным оружием, вместе с разрешенными ножами и копьями, поэтому после долгих раздумий Найл разрешил оставить эту игрушку во Дворце.

Находка пришлась Джелло по вкусу. Он обожал любое оружие и провел немало времени, изучая возможности находки и тренируясь в меткости стрельбы.

Не успел Найл ничего сказать, как начальник его охраны прицелился и рванул спусковую скобу.

Раздался упругий хлопок, напоминающий звук вылетающей из бутылки игристого вина тугой пробки...

Промаха Джелло не знал.

Массивный гарпун с широким наконечником, вырвавшись из цилиндрического жерла, с протяжным свистом рассек воздух и сбоку вонзился в череп смертоносца.

Зазубренное острие раскроило огромную голову с таким смачным хрустом, с каким острый топор входит со всего маха в толстый деревянный пень.

Несмотря на страшный зияющий разлом в голове, старый паук не сразу смирился с неизбежностью смерти.

Некоторое время он еще пытался сопротивляться ранению, постарался сделать пару шагов, но через несколько мгновений стало понятно, что он сдает.

Мохнатые лапы зашатались, потом передние странно выгнулись в суставах вперед, подломились и обмякшая туша с тяжким грохотом рухнула на бетонный пол.

Из глубокой раны потекла кровь, темная и густая, как растопленный на солнце свежий мед.

В отличии от людей, у пауков нет внутреннего скелета, его опорную функцию выполняет крепкая наружная оболочка, разрушение которой, как правило, оказывается для них роковым.

Паучья кровь никогда не сворачивается, гигантские насекомые обделены природой в этом смысле, поэтому через несколько мгновений на бетонном полу уже чернело огромное вязкое пятно, постоянно увеличивавшееся в размерах.

— Ну, что? Дождались, твари безмозглые? — раздался из угла торжествующий голос Догginza.— Мохнатые вонючки, сейчас вы у меня начнете танцевать свой последний в жизни танец!

Воспользовавшись неожиданно предоставленной ему возможностью, он смог, наконец, распаковать футляр и вытащил оттуда лазерный расщепитель.

На лице его можно было прочитать невероятное ликование, хотя он еще не успел полностью оправиться от сильных волевых импульсов, нанесенных по нервной системе морщинистым смертоносцем.

Пока ему никак не удавалось привести "жнец" в боевое положение, ослабевшие руки еще не справлялись с увесистым оружием.

Основная тяжесть приходилась на цилиндрический ствол с рычагом-ограничителем, а сплошной приклад, переходящий в ложу с отверстием для спускового крючка был устроен так, что для устойчивости удобно упирался в бедро.

Но как только он смог снять блокировку и освободить скобу, лазерный разрядник тотчас ожил.

Радиус и сила действия "жнеца" регулировалась панелью управления.

Мощность имела градацию от "нуля" до "десятки",— последняя ступень означала, что стрелок собирается обратить в руины, как минимум, половину Города.

Для такого опытного воина, как Билл Доггинз, не составляло труда выставить нужную координату, так что он выбрал "единицу", отграничивающую убойную силу до двадцати метров.

Гастурт и Марбус впервые видели автоматический лазерный расщепитель в деле. Разинув рот, они восторженно наблюдали за скоротечной расправой за оставшимися смертоносцами, которую безжалостно учинил дорвавшийся до оружия Биллдо.

Бесшумная сверкающая струя, вырвавшаяся из ствола “жнеца”, впилась лазурно-фиолетовым жалом в сочленения задних лап, без всякого труда срезав разрядом суставные утолщения.

В воздухе повис характерный тошнотворный запах горелой плоти и громоздкого паука перекосило, он накренился на сторону, а лазерный разрядник ударил без перерыва еще и еще.

На этот раз раскаленный жгут был направлен снизу вверх и врезался под кожистое блестящее брюхо.

Самое удивительное, что Биллдо действовал настолько ювелирно, что после этих выстрелов смертоносец был еще жив. Паук завалился на спину, беспомощно размахивая поврежденными опаленными лапами, от которых поднимались спиральные струйки дыма и отчаянно шипел в последней агонии.

Последний уцелевший сторожевой паук метнулся в сторону, пытаясь укрыться на паутине, но ему удалось преодолеть всего несколько метров.

За это время неугомонный Доггинз успел переставить рычаг ограничителя на разряднике, увеличив интенсивность до “двойки”. Он словно задался целью продемонстрировать молодым ребятам некоторые возможности этого оружия.

Тугая струя изумрудного света, бесшумно выпущенная с близкого расстояния из раскаленной добела пасти “жнеца”, не только легко прошила насквозь грудь смертоносца. После переключения интенсивности разряд внешне напоминал светящуюся изнутри стеклянный фосфоресцирующий прут, диаметром примерно с бутылочное горлышко. Как острейшее лезвие, он мгновенно разрезал вдоль массивное туловище паука на две ровные половины, по четыре лапы на каждой. Они отвалились в стороны под собственной тяжестью, показав отвратительную картину опаленных паучьих внутренностей, и в воздухе повисло нестерпимое зловоние.

— Что, мешки с дерьмом, вы досыта нажрались? — торжествующе захохотал Биллдо, окидывая взглядом неподвижно лежащие окровавленные туши, покрытые туманной дымкой.— Посмотрим, каково теперь вам понравится на поганой помойке!

Радость в этот момент опьянила даже Найла.

Краем сознания он понимал, что всех этих убийств можно было избежать, но ужасное воспоминание о груде человеческих черепов, сложенных в катакомбах, подстегивала его ярость и оправдывала пролитую паучью кровь.

Каземат наполнился ликующими криками. Можно было подумать со стороны, что здесь только что была одержана самая важная победа в истории человечества...

Гастурт и Марбус, нетерпеливо, но почтительно спросив разрешения своего наставника, вскрыли металлические футляры и завладели парой “жнецов”, рассматривая их с блестящими глазами. Несмотря на физическую мощь и хорошую подготовку, они еще были очень молоды, и Найл замечал, что в некоторые моменты эти парни удивительно напоминали детей.

Да и сам суровый Джелло мало чем отставал от своих воспитанников.

На его лице заиграла едва заметная улыбка, когда он принял боевое положение и приложил разрядник к бедру, как полагается настоящему воину.

— Старый медведь, как тебе это нравится? — с напускной грубостью обратился к нему Биллдо, потрясая в воздухе своим расщепителем.

— Неплохо,— со скупой улыбкой отозвался сдержанный на проявления чувств Джелло.— А тебе?

— Чувствую себя превосходно! Я точно помолодел сразу на несколько лет! Точно женился на молодой!

— Лет десять сбросил? Не меньше? — проницательно хмыкнул начальник охраны.— Ты ведь именно столько лет не держал "жнец" в руках?

— Ты угадал, как всегда...— коротко хохотнул Доггинз.— Кому завидую, так это твоим бравым медвежатам, они только знакомятся с этой чудесной штукой, первый раз дотронулись до легенды рукой! У них еще все впереди!

Заметив, что Гастурт и Марбус слишком оживленно начали орудовать со своими разрядниками, Джелло грозно прикрикнул:

— Эй, вы, розовощекие обезьяны, поосторожней с оружием! Вы можете в момент отрезать друг другу свои безмозглые головы! Пока не сдвигать рычажок ограничителя. Держать его только на "нуле".

— И ни в коем случае не наводить "жнец" на человека,— в тон ему приказал Биллдо и добавил совсем тихонько, так что слышали только старшие: — Если, понятное дело, вам не хочется этого человека поскорее разрезать на мелкие ломтики...

Во всеобщем веселье не принимали участие только Найл с Симеоном.

Они стояли в стороне и наблюдали, как с оживленным хохотом остальные осваивают разрядники.

Хотя цель была достигнута и "жнецы" снова оказались у горожан, на душе у Найла было тревожно.

Неспокойное чувство тяготило его, и он понимал, что хмельная вспышка временной эйфории очень скоро сменится ощущением массы навалившихся проблем.

Оружием они завладели, но все пошло под откос. Все разваливалось, и в отдельные мгновения казалось, что весь мир рушится...

— Как ты думаешь, теперь не миновать войны? — спросил Симеон.— Мы уже убили трех смертоносцев, а пауки этого не прощают... Смертоносец-Повелитель вряд ли сможет забыть об этом. Будет война?

— Все даже гораздо хуже, чем ты предполагаешь... Жестокая война уже идет, а мы проморгали ее начало! — со вздохом отозвался Найл.— Мы давно несем потери, а только сейчас стали их замечать... Кто похитил семьи Флода, Имро и Шиллиха? Кто собрал черепа в подвале? Сколько человек там окончило свою жизнь? Можешь ли ты сказать?

— Да, восьмилапые начали первыми,— кивнул седой головой доктор.— Смертоносец-Повелитель даже взял тебя в заложники и если бы не твой друг Хуссу... Даже не знаю, как бы мы отбили тебя без “жнецов”. Даже до разрядников мы бы без тебя не добрались, завязли бы в сплошной паутине и вляпались навеки!

— Дело еще хуже, чем ты думаешь. Я до сих пор не знаю, кто убил двоих паучих и похитил детенышей? Ты не задумывался об этом?

— Нет, пока еще даже не думал,— откровенно признался Симеон.— Все это время мы думали только о тебе. Кто же мог прикончить их?

— Этот вопрос меня самого ставит в тупик! Ума не приложу... Вряд ли кто-то из горожан смог бы провернуть такое... Кто это сделал? Ты знаешь?

— Даже не знаю, что ответить...

Озадаченный Симеон даже почесал в голове, с трудом нащупав пальцем макушку, скрытую за копной седых волос.

— Да, об этом я еще не успел подумать,— растерянно повторил он.— Сначала появился этот хромоногий Имро Сапожник, потом тебя заарканили во Дворце Смертоносца-Повелителя, после этого пропал со всей семьей Шиллих... Об убийствах смертоносцев я даже не размышлял... Да и к чему это мне?

— Договор нарушен! — резко констатировал Найл.— Но мы не знаем, кто первым пренебрег Соглашениями! Смертоносцы считают, что это сделали люди. Мы уверены в обратном. Убийцы не пойманы, и кто поручится, что завтра не повторится то же самое?

— Никто...— согласился доктор, задумчиво поглаживая ладонью бороду.

Внезапно в этот момент паутина, видневшаяся на стенах каземата и под потолком, ощутимо пришла в движение. Добрая дюжина толстых жгутов задрожала и начала вибрировать, качаясь из стороны в сторону.

В несколько прыжков бдительный Найл преодолел расстояние, отделяющее его от футляров, схватил один и крикнул своим спутникам:

— Внимание! Тревога! Скоро здесь будут смертоносцы!

Все засуетились, настороженно озираясь вокруг, а он скомандовал:

— Мы должны встать вместе! Сомкнуться кольцом, спина к спине! Взять “жнецы” наизготовку, снять с предохранителей! Уровень интенсивности “двойка”! Но приказываю: без моей команды не стрелять!

Притихшие Гастурт и Марбус вскинули свои разрядники. От усердия они так крепко вцепились в оружие, что костяшки пальцев ощутимо побелели от напряжения.

Поднял свой “жнец” и Найл. Предстояло обороняться, хотя на душе у него было очень неспокойно.

За свою богатую событиями жизнь ему, точно также, как и Биллдо, пришлось отправить на тот свет немало смертоносцев.

Первого паука будущий Глава Совета Свободных прикончил с помощью своей раздвижной трубки еще в молодости, в древнем разрушенном городе и этот день стал для него поворотным.

Потом вместе с Доггинзом они извлекли из древнего арсенала “жнецы”, и голубые губительные лучи подкосили немало черных гигантов.

Никогда ему даже в голову не приходило подсчитать, сколько именно пауков они вместе послали в Долину Смерти, но они никогда и не убивали их просто так, ради своего удовольствия.

Паутина дрожала все сильнее, черные гиганты явно приближались. Они находились уже где-то совсем рядом, Найл чувствовал это по усиливающемуся психологическому давлению,— смертоносцы распространяли волны ненависти и дрожащие телепатические кольца расходились во все стороны, как круги на воде.

Едва заметная дрожь возбуждения пробежала по плечам Найла, когда он поправил перед схваткой ментальный рефлектор, висящий на груди.

Тело наполнилось энергичным, активным драйвом, с невероятной быстротой разгонявшим бурлящую кровь по жилам.

Неожиданно в его памяти вспыхнула картина почти десятилетней давности — глухая черная ночь, густой пеленой накрывшая окраину Города... и свора разъяренных пауков, поджидавших людей напротив выхода из арсенала...

Тогда смертоносцы еще не догадывались, что в руках людей появились "жнецы" и уже наступил решающий момент в противоборстве.

Они еще не подозревали, что находятся на пороге гибели и грозно стояли, как черные каменные изваяния. Мрачной угрозой веяло от их застывших силуэтов и серебристый свет луны зловеще отражался в неподвижных выпуклых глазах.

Один из них, самый крупный, оскалил огромные блестящие клыки, тронулся с места и двинулся по направлению к Найлу...

Если бы все происходило чуть раньше, ситуация развивалась бы вполне предсказуемо и не сулила бы ничего хорошего никому из людей.

Сила враждебной воли, излучаемая восьмилапыми, парализовала бы их мышцы, сковала руки и ноги посильнее любых, самых тяжелых кандалов, и ужасная расплата была бы неминуема.

Только огромный маятник, долгие годы отмерявший время для господства смертоносцев, тогда уже замедлил свой ход и начал останавливаться. Все изменилось к той памятной ночи.

Найл даже спустя десять лет хорошо помнил упоительный момент ощущения полной свободы, когда стоило ему нажать на спусковую скобу разрядника, как из пасти разрядника вырвался ослепительный бесшумный луч и двинувшийся на него паук исчез.

Он пропал бесследно, причем точно также, как растворилось в темноте бетонное дорожное ограждение, видневшееся еще недавно за его спиной и часть фасада массивного здания, стоявшего напротив выхода из арсенала...

Прошло немногим более десяти лет после Договора и драматическая ситуация почти повторилась.

Неожиданно вспыхнувшее противоборство захлестнуло всех волнами ненависти, соглашения рассыпались в прах, и клубок событии разматывался так стремительно, что никто не успевал даже одуматься.

Боевой отряд Смертоносца-Повелителя, прервав поток неожиданных воспоминаний Найла, появился через несколько секунд и его вожак буквально обрушился с потолка центрального зала каземата.

Страха Найл совершенно не чувствовал. Поскольку ментальный медальон он снова успел развернуть внутренней стороной, с помощью усилия воли успешно нагнетал ощущение единой силы.

Первым ринулся в атаку на людей Рессо, тот самый смертоносец, который недавно потерял не только свою самку, но и будущее потомство.

— Берегись, дружище! — возбужденно закричал Биллдо, запрокинув голову и ощерившись стволом “жнеца”.— С потолка на тебя дерьмо паучье свисает!

Черный огромный смертоносец с едва слышным угрожающим шипением спикировал сверху из полумрака, стремительно спускаясь на эластичном жгуте и сразу бросаясь на Найла. Как можно было понять, больше всего он жаждал крови Главы Совета Свободных. Остальные противники не интересовали и если бы Найл промедлил на мгновение, ядовитые клыки сомкнулись бы на его шее, и можно было бы не сомневаться, что они одним движением откромсали бы голову.

Но Найл вырос в суровых условиях хайбадской пустыни, среди голодных хищников, поэтому успел не только уклониться в сторону легким пружинистым прыжком, но и в этот же момент коротко полоснуть ослепительным лучом по мохнатым лапам.

С сухим треском лазерный разряд, поставленный на "тройку" срезал две лапы у суставов.

Рессо по инерции еще сделал движение вперед, потом резко остановился, неуклюже откатился в угол и засипел от боли так высоко и пронзительно, что у всех заложило уши.

Несмотря на то, что смертоносец сгорал он жгучей ненависти и распространял вокруг убийственные флюиды, направленные против людей, Найл не хотел убивать его. До последнего от пытался оттянуть расправу и в глубине души рассчитывал на мирное продолжение этой чудовищной истории.

— Опасность! Там снова поганые твари! — еще раз предупредил Биллдо.— Их много, очень много!

— Не зевать! — крикнул Найл, выставляя вверх жерло разрядника.

Стволы остальных его спутников молниеносно нацелились на бесчисленные черные го-

ловы пауков из боевого отряда, показавшиеся под потолком в дебрях охранных сетей. Сердце Найла судорожно сжалось от ужасных предчувствий.

Всей своей сущностью он сопротивлялся схватке и концентрировал внутренние силы только на желании избежать кровавого лобового столкновения.

Смертоносцев было много, не один десяток. Ярость насекомых росла, расширялась, безжалостно стремилась вырваться наружу и они уже были готовы ринуться вниз, на семерых людей, стоявших тесным кольцом в центре каземата.

Стволы “жнецов” были снизу нацелены на черных пауков, но Найл похолодел, когда представил себе, что может произойти в этом зале через мгновение.

Лучи лазерных расщепителей обязательно скосили бы первую волну нападавших. Вырезали бы и второй накат, и третий, а вот дальше...

Над головами людей виднелось так много смертоносцев, что в случае схватки они могли бы погрести всех семерых под своими мертвыми телами!

Прекрасно понимали это и его спутники. Джелло, похоже, вычислял, с кого нужно будет начинать кровавую жатву.

На лице Биллдо уже не играла воодушевленная улыбка, он сосредоточенно буравил взглядом паутину, прогибающуюся под тяжестью многочисленных пауков, а на седых висках Симеона, самого старшего с отряде, от напряжения даже выступили сверкающие бисеринки пота.

Лишь только молодые Гастурт и Марбус рвались в бой. Руки их, сжимающие увесистые разрядники, бугрились узлами крепких мышц и подрагивали от упоительного напряжения.

Паутина дрогнула, и дыхание Найла даже остановилось. Он был уверен, что смертоносцы получили приказ от Повелителя, что через мгновение они ринутся в атаку и сейчас начнется самое страшное...

Он собрал все внутренние силы и постарался сконцентрироваться только на одном. Всю волю и всю внутреннюю силу он собрал в пучок и бросил на то, чтобы избежать жестокой драки!

В этот момент произошло невероятное событие, заставившее всех затихнуть.

Полутемный зал каземата, освещаемый тусклыми факелами, наполнился ослепительным светом.

Стало светло, как солнечным днем, потому что все вокруг озарялось густыми охапками молний, с едва слышным треском пронизывающими полумрак.

Смертоносцы мгновенно замерли на своих местах...

Колыхавшаяся от ярости паутина боязливо застыла, бесчисленные выпуклые глаза-бусины нацелились сверху на фигуру Главы Совета Свободных.

Ошеломленные взгляды были направлены на Найла потому, что именно его тело было источником ослепительных лучей, заполнивших здание каземата.

Тяжелый разрядник с глухим стуком вывалился из его пальцев на бетонный пол и поток горячего голубоватого света вырвался из его туловища, как белая колонна, упершаяся в пыльный, завешанный паутиной потолок.

Чистая энергия пронзала позвоночник Найла, контуры его фигуры стали иллюминировать, исторгая зигзагообразные вспышки устремляющихся ввысь молний. Волны тонких переливающихся лучей выплескивались наружу и расширялись над головой наподобие чистейшего, постоянно разрастающегося кристалла.

Уже можно было рассмотреть самые глухие уголки, спрятавшиеся в дебрях паутины.

Только сейчас Найл увидел, насколько много на самом деле собралось над их головами смертоносцев!

В действительности восьмилапых гигантов было даже гораздо больше, чем он предполагал!

Черные головы располагались бесчисленными, уходящими вдаль ровными рядами. Пауки собрались вместе на решительный бой, как по команде, и были готовы убить людей любой ценой, задавить их массой.

Но после явления божественного света они испуганно притихли, отводя глаза от ослепительных вспышек. Некоторые, располагавшиеся в последних рядах, даже решили скрыться отсюда, в ужасе отползая в сторону по провисшей паутине.

Поднятые ладонями вверх руки Найла светились, источая голубоватые лучи. Пальцы словно были сделаны из раскаленного добела металла и ровное свечение, исходящее острыми лучами из них, в изумленной тишине наполняло все помещение, затопляя самые укромные места.

Его спутники затаили дыхание. Казалось, что никто из них не только не может шевельнуться, никто даже не способен вздохнуть, набрать воздуха в легкие.

Через несколько мгновений благоговейного молчания свет пошел на убыль. Полумрак снова укутал все вокруг надежным пологом, и помещение каземата словно значительно сократилось в размерах.

Все присутствующие, и люди, и пауки благоговейно взирали на Найла.

Сотни глаз почтительно пожирали его, потому что знали,— ослепительные молнии и волны ярких лучей имеют неземное происхождение.

Богиня Дельты Нуада вмешалась таким способом в яростную ссору!

Нуада таким образом высказала свое отношение и предотвратила всего за одно мгнове-

ние жестокую схватку, которая неминуемо закончилась бы гибелью Главы Совета Свободных со всеми его спутниками...

ГЛАВА СЕМНАДЦАТАЯ

Бешеные ослепительные вихри пронеслись в голове Найла, озаряя все закоулки его сознания. Слух наполнился чистыми прозрачными звуками, напоминающими звенящее пение колокольчиков, изготовленных из горного хрусталя.

Любой человек, чудом услышавший бы эти холодные, переливающиеся аккорды, воспринял бы их как некий благозвучный шум, хотя и организованный особым мелодичным образом.

Но для Найла вибрирующие звуки представляли совершенно определенный язык, определенный шифр, посредством которого с ним контактировала Нуада, Богиня Великой Дельты.

Каждая закодированная нота имела в его мозгу пространственное и цветовое воплощение. Он слышал звенящие и пульсирующие, высокие и низкие интервалы, и одновременно видел внутренним зрением всю цветовую гамму переливающихся мозаичных картин.

Калейдоскоп наливался изумрудными, золотистыми, палевыми, алыми оттенками... Галлюцинирующие зеркальные образы росли, набухали и, достигнув своей критической пространственной массы, рассыпались на бесчисленное множество ломаных линий.

Некоторое время звуки еще продолжали звенеть, а потом все внутри него смолкло. Сообщение, которое передавала в его сознание закончилось коротким звуком, как обыкновенное предложение в письменном послании завершается жирной точкой.

Он вздрогнул и словно открыл веки после долгого сна, чтобы обвести взглядом окружающих его людей и пауков.

В зале каземата царило напряженное молчание. Сотни глаз буравили его испуганными, восторженными, изумленными взглядами, но его спутники не могли сразу поверить в чудо. Они по-прежнему держали “жнецы” в полном боевом состоянии, держа под прицелом сотни паучьих тел, невероятной массой нависавших над головой.

В этом благоговейном безмолвии зазвучал громкий решительный голос Найла.

Он произносил слова вслух для своих спутников и одновременно передавал ментальные импульсы напрямую в сознание замерших смертоносцев:

— С вами говорит Избранник Великой Богини! Нуада своей властью приказала прекратить наше противоборство! Владычица Дельты открыла мне, что смертоносцы не нарушали Договор! Пауки не похищали семьи несчастных, но и люди не убивали самок, не крали нарождающееся потомство!

Джелло и Биллдо изумленно смотрели на него, не веря собственным ушам.

— Кто же тогда это делал, прах меня побери? — едва слышно просипел Доггинз.— Кто собрал груду человеческих черепов в подвале, если не эта слизистая мохнатая падаль?

— В Городе появилась третья сила! — со всей решимостью отозвался Найл.— Богиня Дельты сообщила мне, что существует тайный план, по которому людей и пауков собираются стравить друг с другом! Нуада пока не может сообщить, кто это, но она повелела своей властью прекратить войну. Мы должны забыть кровь и снова держаться вместе! Такова священная воля Владычицы! Договор остается в силе!

Найл не сомневался, что Смертоносец-Повелитель через мгновение будет знать обо всем.

По единой телепатической сети, по этому пульсирующему информационному кольцу он уже получил сообщение, и сейчас оно находилось в его сознании. Теперь можно было появиться во Дворце паучьего Владыки, не опасаясь, что Главу Совета Свободных снова оплетут влажной паутиной и бросят в темницу.

Именно туда Найл и собрался направиться прямо из каземата. Он хотел попытаться разобраться, кто же все-таки убивал паучих самок, и кто похищал честных горожан, утаскивая их из собственных домов?

Теперь он точно знал, что Богиня Дельты заставит Смертоносца-Повелителя пойти на примирение и забыть на время об убийствах потому, что Владычица Реки Жизни ни за что не допустит новой кровавой ссоры между людьми и черными пауками.

Взгляд его упал на огромного паука, до сих пор корчившегося в стороне от боли. Это был Рессо, которого он совсем недавно подкосил фиолетовым лучэм "жнеца". Отсеченные части лап валялись в стороне и Найл внезапно для всех попросил Симеона:

— Дружище, помоги ему!

— Что? Эта тварь пыталась тебя убить! — изумлено взвился Биллдо.— Зачем ты будешь облегчать ему страдания? Пусть мучается, это будет прекрасный урок для всех остальных вонючек!

Несмотря на то, что все остальные молча поддержали слова Доггинза, Найл твердо и решительно повторил доктору:

— Ты должен сделать все, чтобы он излечился! Об этом прошу не я, это не моя прихоть.

Отчетливо, громко, так, чтобы слышали все, он торжественно объявил:

— Так требует Богиня Дельты, и мы подчиняемся ее повелению!

ГЛАВА ВОСЕМНАДЦАТАЯ

Неоднократно Найл бывал в Дельте, не раз он вступал в телепатический контакт с Нуадой, получая от нее все новые и новые сведения.

Из истории своей планеты, так, как преподносила ему Нуада, он знал,— за миллионы лет эволюции нередко случалось так, что одно значительное событие порождало цепь других явлений, порой даже никак не связанных между собой.

В результате одного из таких случаев Властительница Дельты и явилась на Землю, как представительница инопланетной формы жизни...

Ядро кометы Опик пролетело фактически более чем в миллионе миль от Земли, однако ее колоссальный радиоактивный хвост задел земную атмосферу, уничтожив девять десятых всей фауны и вызвав самые невероятные мутации живых организмов, в том числе даже и человека. Но величайшая катастрофа в мировой истории забросила на голубую планету споры растений внеземного происхождения, одно из которых и почиталось пауками-смертоносцами как Богиня Реки Жизни, Повелительница Дельты.

Гравитационное поле кометы-убийцы вызвало возмущение в лунной орбите, породившее бурный всплеск вулканической активности на Земле. Атмосфера подернулась дымкой настолько плотной, что на пути солнечного света возник непроницаемый барьер. Обитаемая планета после долгих лет разумной эволюции вошла в эпоху нового оледенения, в эпоху Великой Зимы, длившейся до тех пор, пока пылевые частицы постепенно не осели на почве.

Спустя два столетия после катаклизма, ледовые поля понемногу начали отступать, сменяясь противоположными климатическими факторами.

Почти вся планета теперь была предоставлена на откуп жестким солнечным лучам, превратившими земную поверхность из заснеженного холодильника во влажную и душную теплицу.

Погибли высокоразвитые технологичные цивилизации. Опустились в ревущие морские пучины одни края, и из мутных волн вознеслись другие.

Древние полноводные реки обмелели или даже изменили направления. Огромные континенты поменяли свои очертания, а безжалостный ветер разметал в прах руины величественных мировых столиц. Рим, Париж, Лондон, Флоренция... все это превратилось лишь в пустой звук, да в виртуальные образы, хранящиеся в гигантской электронной памяти Белой башни.

Земля словно раскачивалась, пробираясь сквозь шлейф кометы, и необъятные потоки воды хлынули во все пределы. Свирепые волны смывали с лица земли улицы и площади, небоскребы и дворцы.

Мало кто из оставшихся людей уцелел в этом гигантском вселенском завихрении, почти все погибли. Разве что жалкие племена дикарей, мало ушедших в своем развитии от стадных животных, забились в свои глубокие норы и пережили Катастрофу. Но долгие времена они жили животной жизнью и не могли со всем основанием называться настоящими людьми.

Некоторые народности даже настигла мутация. Найл знал что, по крайней мере, несколько племен в своем развитии вышли на животный уровень,— у одних дети рождались с хвостами и с перепонками между пальцами, у других заострялись кончики ушей и росли загнутые когти.

Комета Опик, принесшая разрушения и необратимые мутации почти всего живого, породила и новую, внеземную форму жизни,— она явилась с далекой планеты Альфа-Лира Три. "Тройка" входит в солнечную систему голубой звезды Вега, расположенной в созвездии Лира на расстоянии двадцати семи световых лет. Сила гравитации на той планете была такой непомерной, в сотню раз больше, чем на Земле, что человек на ее поверхности весил бы десяток тонн и не смог бы даже приоткрыть веки.

Одной из немногих разумных форм жизни, способных к развитию в подобных условиях, были исполинские шарообразные создания, схожие по внешнему виду с земными овощами, гигантскими корнеплодами.

Сто пятьдесят миллионов лет назад систему Веги прошил осколок расширяющейся Галактики, вызвав на Альфа-Лира Три катастрофические смещения геологических пластов и "сковырнув" сегмент планеты величиной почти с земной шар. Этот кусок, оторвавшийся вместе с огромными шарами, бороздил бездонное пространство следом за звездным астероидом до тех пор, пока много миллионов лет спустя чуть было не столкнулся с кометой Опик.

Прямого пересечения траекторий не было, но семена гигантских "овощей", приспособленные к самым невероятным условиям существования, внедрились в огромный огненный шлейф кометы в виде своеобразной паразитической структуры. Они продолжали существовать, даже несмотря на чудовищную температуру вокруг.

Когда Землю опахнул смертоносный хвост, сто миллионов людей уже эвакуировалось с

Земли в гигантских космических транспортах, отправляясь в долгое странствие в звездную систему Центавра, к планете, нареченной Новой землей.

А семена растительной жизни с планеты Альфа-Лира Три попали на Землю, радиационный шлейф сбрил атмосферу, одновременно с этим освободив от долгого заточения споры инопланетных растений. Большинство из них упало в океан, часть приземлилась в пустынях и возле полюсов, однако почти все они погибли.

Лишь пятерым, особенно удачливым особям удалось прижиться на Земле и прорасти.

Две угнездились недалеко друг от друга в Центральной Африке, одна осела в Южном Китае, еще одна на острове Борнео. Последняя, пятая оказалась в климатически благоприятном районе Великой Дельты, находящейся на расстоянии двух дней пути от Паучьего Города.

Галактические "растения", наделенные развитым сознанием, не только выработали в себе определенные индивидуальные черты. Каждое находилось в мысленном контакте со всеми другими своими сородичами и имело доступ к памяти всех своих предков, живших на далекой "Тройке" Альфы Лира.

Гравитация на Земле была намного слабее, чем на их родной планете, поэтому молекулярные процессы а развитии "овощей" пошли с неимоверной быстротой.

Растение, попавшее в Великую Дельту, очень скоро вымахало до гигантских размеров,— наполовину зарытое в почву, оно по внешнему виду напоминало, скорее, сочетание высокого округлого холма с обыкновенным тропическим корнеплодом.

У этих исполинов, явившихся с планеты Альфа-Лира Три, были сильно развиты телепатические способности, на их родной планете процесс эволюции означал коллективное мысленное усилие.

На Земле же их развитие скоро застопорилось, поскольку всего лишь впятером эти сверхсущества-пришельцы, расположенные на значительном расстоянии друг от друга, не могли создать достаточно мощное ментальное поле.

Выход у пришельцев оказался один: ускорив эволюцию некоторых других форм жизни, создать себе в них партнеров. Наделенные сознанием растения превратились в гигантские передатчики жизненной энергии, генерируя мощную вибрацию и рассылая ее волнами через по всему миру. Все существа, способные к восприятию этой энергии, переродились и начали эволюционировать ускоренными темпами.

Большинство сложных, высокоорганизованных животных на Земле — включая, увы, человека,— стояли на слишком высокой ступени развития и в силу этого не могли воспринимать мощную вибрацию.

Но насекомые и членистоногие, особенно некоторые разновидности пауков, оказались на редкость восприимчивы к волнам этой живительной энергии.

Мало того, что пауки-смертоносцы вымахали до огромных размеров. Их сознание за короткий срок прошло стремительное развитие, они научились помыкать другими существами, подавляя ментальными импульсами волю и заменили на долгие годы человека, утвердившись на Земле как господствующий вид жизни.

Сознавая, что своим положением они обязаны живительной энергии, исходящей от исполинской обитательницы Дельты, пауки-смертоносцы поклонялись этой силе, как Великой Богине.

Нуада, в сущности, стала виновницей их господства.

Во времена Великой Зимы многие пауки вынуждены были ютиться по соседству с людьми, хотя между ними уже существовала непримиримая вражда.

Поначалу многие люди даже относились к обыкновенным паукам с уважением, считая, что без дела убивать восьмилапого не к добру. Но вот насекомые под влиянием Нуады стали удивительно быстро увеличиваться в размерах и набираться ума, что вызывало в людях все возрастающую тревогу.

Но до поры до открытого столкновения дело не доходило, пока как-то раз, еще во время

Великой Зимы от укуса паука-смертоносца по трагической случайности не погиб больной ребенок.

Этот случай стал началом непримиримой вражды. Братом убитого мальчишки был никто иной, как юноша по имени Айвар, поклявшийся впредь убивать любого паука, какой только попадется ему пути.

Со временем он стал великим вождем, известный своим соплеменникам как Айвар Сильный, но многим и как Айвар Жестокий. Именно он покорил большинство своих соседей по Междуречью, захватил самый крупный их город и перебил в нем жителей.

Капитулировавший город он переименовал в Корш, что значит “твердыня”.

За счет использования рабского труда он укрепил его, обнес его мощными стенами и башнями, превратив в неприступную крепость.

Отдаленные земли, лежащие к северу от Корша, были гористым регионом, изрезанным глубокими лощинами. Мохнатые пауки, теснимые воинственными людьми, в конце концов, и обосновались там, питаясь разной живностью,— птицами, мелкими грызунами и земноводными.

Но Айвар, подчинив себе и эти края, проведал о Долине Пауков и решил, что восьмилапую нечисть нужно истребить.

Проход в Долину загораживали тенета, их уничтожили огнем.

Айвар открыл подземный источник какой-то черной маслянистой жижи, горящей свирепым негасимым пламенем и дающей едкий черный дым.

Пауки, полагая, что в глубине пещер им ничего не грозит, сопротивления не оказывали, но они слишком поздно поняли, как опасен удушающий черный дым.

Когда они порывались спасаться из своих пещер бегством, наверху их подкарауливали воины, одни из которых окатывали им спины черной жижей, а другие гнали в кусты и затем поджигали.

Угоревшие, полуослепшие от дыма пауки были легкой добычей. К вечеру вся Долина была завалена обугленными трупами смертоносцев.

Боль и тоска умирающих, невольно передаваясь телепатическими импульсами, сеяла панику и безумие среди живых. Пауки из соседних долин ушли на север, где все еще царила зима, и гибли там тысячами.

Устроив это побоище, Айвар и снискал себе прозвище Сильный, но с тех пор смертоносцы объявили непримиримую войну людям, считая человека самой злобной и мерзкой тварью на земле.

Жестокость Айвара обернулась против него же самого,— развитие пауков уже и до этого шло ускоренными темпами, скорбь и ненависть стимулировали после побоищ рост силы воли.

8 Зак. 3230

Нуада, растение-властитель, переродившаяся в невиданную станцию-передатчик, нагнетала безудержную энергию, которой пользовались и растения Дельты, и насекомые.

Самая невероятная удача выпала на долю пауков. Они оказались очень чувствительны к вибрации, излучаемой Богиней, и очень скоро у них прорезалась зловещая смекалистость, сочетающаяся с невероятным энергетическим потенциалом.

Сменилось всего несколько поколений, и яд смертоносцев сделался таким сильным, что валил с ног не только любого богатыря, но даже ломовую лошадь.

Сила воли пауков постоянно росла и вскорости достигла таких пределов, что смертоносцы могли на расстоянии гипнотизировать человека, парализуя его мозг и подавляя способность к сопротивлению.

На долгие годы люди попали в безрадостное, унизительное рабство именно потому, что уступали мохнатым гигантам в силе воли.

Благодаря своим уникальным талантам, Найл не только смог возглавить восстание против смертоносцев, но и стал единственным человеком, общавшимся на равных с Великой Нуадой. Во время телепатических контактов она передавала всю необходимую информацию напрямую в его сознание, минуя вербальный уровень.

Богиня Дельты существовала в своем, особом мире и для нее не существовало понятий добра и зла в том плане, в котором их разделяет человечество.

Растение-властитель в своем существовании ориентировалось только на особую пульсацию жизненной энергии.

Когда меж людьми и смертоносцами вспыхнула кровавая ссора, вызванная многочисленными убийствами пауков и похищениями горожан, Владычица Реки Жизни уловила нарушение ритма гармонии и вмешалась буквально за мгновение до начала жестокого столкновения. Но, к великой досаде Найла и Смертоносца-Повелителя, даже Нуада не могла сразу открыть секрет этих загадочных преступлений.

...Ужасные случаи повторялись снова и снова.

Люди не переставали исчезать. Горожане бесследно пропадали по одиночке, а иногда соседи не досчитывались сразу целых семей.

Истерзанные, обезображенные, обезглавленные останки спустя некоторое время порой выносило на берега реки, и жители города глухо роптали, считая, что все происходит из-за бездействия властей.

Хотя, как всегда, возмущались они совершенно напрасно.

Найл прилагал все усилия, но все оказывалось тщетно, поиски злодеев оказывались безрезультатными, потому что преступники умудрялись не оставлять даже никаких следов.

Город охватила паника. Люди боялись выходить на улицы с наступлением темноты, жители сбивались семьями в коммуны и ночевали в больших помещениях по тридцать, сорок человек.

И все в глубине души были уверены, что кровь лежит на смертоносцах...

Все было бы именно так, если бы одновременно с людьми не пропадали и сами пауки, изуродованные туловища которых точно также, как и человеческие порой обнаруживались в разных районах города.

Это поражало горожан больше всего.

От Найла они знали, что всех пауков связывала между собой телепатическая связь, мощная защита, позволяющая каждому из них в случае опасности мгновенно передавать сигнал тревоги всему восьмилапому сообществу.

Но эта защита не срабатывала...

Да, можно было убить одного смертоносца, мгновенно пронзив его мозг, как это десять лет назад удалось сделать самому Найлу с помощью металлической трубки разрушенном городе. Успешно поражал пауков как лазерный расщепитель, так и любимый пневматический гарпун Джелло.

Невозможно было лишь истязать живого паука!

Испытывая страшную боль, он тут же должен был соединиться с телепатической цепью и позвать на помощь.

Между тем, найденные останки пропавших насекомых красноречиво говорили о том, что перед смертью им было суждено вынести страшные пытки.

Хрупкий мир между людьми и черными смертоносцами, державшийся все эти годы, балансировал на лезвии острейшего ножа. В любой момент терпение одной из сторон могло закончиться и очередное кровавое преступление могло обернуться снова столкновением.

“В Городе появилась третья сила...” — звучал все время в сознании Найла прозрачный хрустальный голос Нуады, звеневший странными стеклянными диссонансами.

Он ломал над этим голову, но никак не мог подступиться к решению мучительной загадки. Прошло несколько месяцев, снега отступили, и безумно холодная зима осталась в прошлом, но убийства горожан, мучившие его с той морозной ночи, когда в каминном зале появился хромоногий Имро Сапожник, попрежнему терзали душу Найла.

Возможно, страшная тайна так и осталась бы не раскрыта, если бы не жуткая катастрофа, внезапно обрушившаяся на Город поздней весенней ночью...

ГЛАВА ДЕВЯТНАДЦАТАЯ

Сильнейшее землетрясение поразило густонаселенные юго-западные кварталы. Подземные толчки, начавшиеся утром, продолжались до самого вечера и все уже даже успели немного привыкнуть к этому. Жителей больше беспокоил серый пепел, все время летевший на город со той стороны, где внезапно ожил потухший вулкан.

Плотный серый пепел бесконечно падал с неба. Пушистые хлопья облепили все нити паутины, протянутые между домами, пепел устилал улицы, залетал в окна и бесконечно раздражал дыхание людей, особенно маленьких детей и стариков.

Все пытались приноровиться к трудностям. Жизнь текла своим чередом, и вечером, как обычно, измученные постоянным страхом городские жители отправились в свои кровати отдохнуть.

Проснуться удалось далеко не всем. Не для всех уснувших наступило светлое утро...

Мощный толчок поразил ночью те районы, где во времена Рабства располагались женские поселения. Огромная извилистая трещина расколола надвое эту окраину города, и в одно мгновение целые кварталы вместе с их обитателями оказались погребены на дне глубокой пропасти.

Одноэтажным районам, уничтоженным землетрясением, давно не везло. Давно за ними укрепилась слава одного из самых мрачных мест в городе, потому что именно здесь прокатилась волна тех самых кровавых преступлений, совершенно необъяснимых по своей жестокости.

Пытаясь найти какую-то закономерность в похищениях людей, Найл уже давно пришел к выводу, что целыми семьями люди никогда не пропадали в центральной, многоэтажной части Города.

Все кровавые события регистрировались лишь в окраинных кварталах, в убогих домиках, отделенных друг от друга лишь узкими клочками пыльных дворов и убогих огородов.

Землетрясение подстерегло горожан глухой ночью, когда все уже крепко заперлись, положили рядом с собой оружие на случай внезапного нападения, обсудили события минувшего дня и притихли в своих комнатах.

Люди очутились в ловушках, они оказались бессильны перед коварством судьбы...

Как потом выяснилось, ненасытная гортань разлома за несколько минут поглотила почти тысячу человек! Сотни немудреных, старых домов, до предела наполненных крепко спящими людьми, провалились под землю!

В тот день заседания Совета Свободных не было.

Найл распустил своих заместителей потому, что до этого собирал всех почти каждое утро. Начинались совещания с отчетов представителей разных районов, выборные докладывали о прошедшем за ночь, о поведении смертоносцев, и, к сожалению, частенько сообщали о новых жертвах. Потом быстренько оглашались данные разных бюрократических комитетов,— продовольственных ресурсов и заготовок, внешней безопасности и дисциплины.

От всей этой говорильни на душе Найла скребли кошки, но он заставлял себя терпеливо выслушивать красноречивые бредни районных болтунов.

Все они воспринимали заседания Совета Свободных как нечто значительное и необходимое для горожан, хотя их обязанности сводились лишь к эффектным словесным баталиям на разные темы.

Каждый прекрасно понимал, что все важнейшие решения всегда принимал Найл и все нити управления находятся в его руках, поэтому мало кто спорил, если Глава отменял собрания.

Так случилось и в день ужасной катастрофы.

Интуиция не сулила Найлу ничего доброго, и Хуссу постоянно звал его на улицу. Пустынник, как и многие другие живые существа, обостренно чувствовал приближающуюся беду.

С утра Найл обратил внимание, что паук неспокойно ведет себя и передвигается по Дворцу только через дверные проемы, избегая заталкивать свое туловище в эксплуатационные шахты, пронизывающие стены.

“Почему ты решил усложнить себе жизнь, дружище?” — обратился к нему Найл, нахмурив брови.

Он заметил, как восьмилапый копается с обыкновенной бронзовой ручкой и сразу заподозрил неладное.

Дворцовые двери весной зачастую разбухали от влажности и открывались не так легко, как знойным засушливым летом. Кроме того, нужно было обязательно особым образом повернуть старинную изогнутую ручку и щетинистые лапы пустынника, приспособленные больше для передвижения по вертикальным поверхностям, не очень ловко справлялись с этим.

“Сегодня не хочется залезать внутрь стен,— по-простому объяснил Хуссу.— Не могу себя заставить даже подойти.”

Тогда уже начались первые подземные толчки, и Найл сразу понял, что капризы паука каким-то образом связаны с пробудившейся стихией.

Но этот телепатический контакт вспыхнул в его памяти ночью, когда он вместе со своей свитой прибыл к гигантской трещине.

Они достигли отгороженного канатами края небольшой площади, обрывавшегося пропастью вниз.

На самом краю еще каким-то чудом стояла хибарка, но казалось, что она уже немного покачивалась и в любое мгновение могла рухнуть вниз.

В свете беспорядочно пылающих костров, разведенных по краю раскола, на самом дне образовавшегося ущелья ошеломленному взору представала немыслимая мешанина из обломков деревянных домов, разлетевшихся заборов, хозяйственных построек и старых фургонов, торчавших во дворах.

Неведомые силы словно задались целью сокрушить за одно мгновение городской порядок, переделать пространство, устоявшееся за века и перевернуть все вверх дном.

Поднимался ветер и нес с собой клубы пыли. Казалось, что даже сам Город исчезал вдали, укрываясь за плотной пеленой.

Даже на большом расстоянии порой снизу, со дна возникшего каньона слышались стоны несчастных. Хотя большинство погибло, кто-то из счастливчиков отделался легкими ушибами и даже сам пытался выбираться по свежим стенам разлома.

Немногочисленных раненых при свете факелов доставали из завалов добровольцы. Симеон и два его племянника, Фелим и Бойд, рьяно руководили спасательными работами и накладывали повязки из паучьего шелка с невероятной ловкостью и быстротой.

Фелим и Бойд врачевали шакальей травой, а в руках их седовласого дяди то и дело появлялась огромная бутыль с широким горлышком, в которой колыхалось вязкое, густое вещество багрового цвета. Маслянистая жидкость распространяла невероятное зловоние, стоило только слегка приоткрыть массивную притертую пробку.

Некоторые, особенно легко пострадавшие, молили избавить их от такого радикального лечения, но Симеон каждый раз был неумолим.

Суровый врач обильно смачивал этим препаратом тампоны, изготовленные из нежно-голубого пушистого луизианского мха, и безжалостно накладывал на раны.

— Молчать, бездельники! Закрыть рты! — ревел он на пострадавших, корчившихся от смрада на своих носилках и пытавшихся протестовать против такой процедуры.— Я жизнью рисковал в Дельте, когда добывал для вас корни красного шувида, а вы не можете заткнуть свои сопливые носы и потерпеть! Всем молчать! Тут командую я! Все делается только для вас!

Дельтийский шувид, под воздействием энергетических импульсов Нуады, из скромного кустарника превратился в хищное плотоядное

растение, питающееся исключительно теплой кровью.

Безобидный на вид, он расстилался по земле тонкими прочными щупальцами и устраивал ловушки, охотясь на мелких млекопитающих, хотя при возможности мог заманить в свои тенета и более основательную добычу, вроде молодого кабанчика. Опасен шувид был даже для человека, но Симеон все равно время от времени предпринимал походы в Дельту, так как издавна знал, что экстракт из красных зловонных корней мгновенно заживляет самые серьезные раны и останавливает сильное кровотечение у людей даже с плохой свертываемостью.

Добровольцам помогал и Хуссу. Пустынник был глух от природы, как и все пауки, поэтому не мог слышать криков раненых. Но он бесшумно носился во мраке змеившегося разлома и старался улавливать телепатические сигналы, излучавшиеся несчастными, зажатыми в ловушки.

Таким образом паук помог отыскать не менее десятка человек, сразу попавших в руки Симеона и испробовавших на своей шкуре чудодейственные возможности дельтийского шувида.

Единого центра спасательных работ не сложилось.

Все, кто мог, в силу своих способностей спускались с полыхающими факелами вниз и пытались помочь пострадавшим. Найл старался опекать детей, собирая их в небольшие команды у костров и по возможности приободряя. Хотя на душе у него было нелегко, он боялся даже представить себе, сколько из этих ребят остались сиротами и сколько из них так никогда и не увидят своих родных.

Внезапно его внутренний слух зафиксировал дребезжащий, взволнованный телепатический голос Хуссу.

“Дружище! Я обнаружил нечто,— сообщил ему паук, находящийся где-то во мраке каньона.— Ты не хотел бы посмотреть?”

Подключаясь на расстоянии к сознанию Хуссу, Найл мог взглянуть на окружающий мир так, как он виделся пустыннику. Но для этого он должен был сконцентрировать свои силы, чтобы сопрячь свое сознание со паучьим панорамным зрением, устроенным совершенно иначе, чем у людей.

Зрительная телепатическая информация от Хуссу поступала к нему в виде невероятно четких многомерных образов и всегда нужно было некоторое время, чтобы мозг мог осмыслить увиденное.

Сознание Найла всегда словно немного запаздывало, обрабатывая пульсирующие сигналы.

Взгляд его, вслед за зрачками всех восьми глаз пустынника, скользнул по самому краю разлома и выхватил развалины убогой хибарки, чудом остановившиеся на самом краю трещины.

Одну из стен точно смыло во время землетрясения, а остальные продолжали торчать, выставляя наружу, как потроха внутреннее убранство домишки.

Центральные глаза Хуссу вперились с внутренней стороны в стены лачуги, и Найл, находившийся на другом краю огромной трещины, при колышущемся свете факелов увидел темные капли, веером разошедшиеся на белой краске.

В этот же момент холодок пробежал у него по коже. Хуссу находился рядом с домом Флода, того самого горожанина, который лютой зимой одним из первых пропал вместе со всей своей семьей и детишками хромоногого Имро Сапожника.

“Что ты нашел здесь?” — послал он тревожный сигнал по телепатической пуповине, связывающей его с пауком.

Найл совершенно точно помнил, что зимой Хуссу не ездил вместе со всеми в дом Флода. Почему же это страшное место внезапно привлекло его внимание?

“Здесь подземный ход. Доски разбросало и видно, что под полом прорыт потайной колодец. Оттуда идет злая волна!” — сообщил паук.

Внимание Найла удвоилось. Если уж пустынник считал нужным доложить об этом, дело грозило принять серьезный оборот.

“Можешь заглянуть внутрь, дружище? Куда это приведет?”

“Дырка плохая...— скрипуче признался Хуссу.— Мне не нравится. Но... Я попробую...”

Осторожно передвигаясь по вздыбленному полу разрушенного дома, стоявшего на самом краю обрыва, Хуссу продвинулся немного вглубь и не очень то охотно просунул бурую голову в отверстие.

Потайной ход нельзя было бы назвать маленьким,— по размерам он ничуть не уступал эксплуатационным шахтам Дворца, так что паук продвигался хотя и опасливо, но без особых неудобств.

Неожиданно узкий колодец, отвесно уходивший вниз, через несколько метров влился в какую-то широкую горизонтальную шахту, устремлявшуюся в мрачную бесконечность. Хуссу мог видеть даже в полной темноте, но по-особому, он словно прощупывал мрак телепатическим пульсирующим сигналом, и окружающее пространство представало в его сознании особой схемой, выстроенной из ответных, отраженный как рикошет импульсов.

Из глубины этой черной бездны перед Найлом сначала стали проступать изумрудные фосфоресцирующие линии.

Их расплывчатые сочленения постепенно стали образовывать силуэты стен, проходов и колонн, отделанных каким-то гладким материалом вроде облицовочной плитки, на фоне которой отчетливо выделялись ступени и створки дверей.

От изумления Найл чуть не задохнулся!

Получалось, что под землей расположены какие-то просторные, обустроенные помещения!

Десять лет возглавляя Совет Свободных, он даже не подозревал об их существовании...

“Двигай вперед, старина! — нетерпеливо подстегнул он Хуссу.— Сейчас я немного освобожусь и подоспею к тебе!”

Сразу все бросить он не мог, находясь в гуще событий и отдавая многочисленные распоряжения. Все, на что он был способен в этот момент, так это руководить спасательными работами и параллельно существовать в зрительном пространстве Хуссу, краем сознания отслеживая все происходящее с ним.

Паук в полной темноте миновал длинный очень широкий коридор, по размером не уступающий иной площади и оказался перед лестницей, ведущей вниз. Щетинистые лапы осторожно спустились по ступеням, покрытым толстым слоем какой-то слизи, и пустынник попал на другую платформу, напоминающую верхнюю.

Внезапно его взгляд уперся в какую-то кучу, белеющую в темноте. Несколько мгновений Найл, получая ментальный сигнал, изучал беспорядочное переплетение каких-то прямых и изогнутых линий, пытаясь понять их происхождение.

“Не понимаю... что это такое? Неужели какие-то корни?” — уточнил он.

Мгновенно пришедший ответ заставил его ощутимо вздрогнуть.

Паук приблизился еще немного и сурово отозвался:

“Кости! Человеческие ребра и позвонки!.. Они обглоданы, и почти на всех следы зубов!”

Вокруг мелькали огни, со всех сторон раздавались крики и лихорадочно кипели работы по спасению пострадавших. Сновали в разные стороны добровольцы с носилками, гремел зычный голос Симеона. Но Найл ничего не мог воспринимать,

Глава Совета Свободных на несколько секунд точно оглох и ослеп...

После последнего сообщения он некоторое время не видел и не слышал ничего. Из глаз брызнули снопы искр, как будто ему хорошо треснули по затылку, но только с внутренней стороны головы.

Очнулся он и пришел в себя только после тревожного сигнала Хуссу.

“Такое ощущение, что на меня кто-то смотрит! — зазвенел его напуганный напряженный голос.— Здесь появился кто-то живой!”

“Возвращайся!” — скомандовал Найл.

Ему и самому показалось, что он разглядел вдали какой-то двинувшийся ком плоти. Темное на темном,— даже самый зоркий паук не смог бы сказать с уверенностью, как это существо выглядит.

Пустынник ринулся обратно с такой невероятной скоростью, что перед глазами Найла все смазалось в одну сплошную фосфоресцирующую полосу.

Паукам не было присуще чувство боязни, они могли сражаться и с противником, намного превосходящим их по силе.

Единственное, что всегда приводило их в ужас — это неизвестность. Неизведанная опасность сжимала их тисками страха, вселяла чувство неуверенности и парализовала бойцовскую волю.

"Меня преследуют!" — раздался сигнал тревоги.

От ощущения собственного бессилия кровь Найла яростно вскипела, прилив к вискам. Он был способен помочь Хуссу во многих ситуациях, во время схватки мог подкрепить на расстоянии его волю и послать заряд дополнительных сил, в незнакомой ситуации мог сориентировать его. Но во время погони, когда Хуссу дрогнул и в полной темноте спасался бегством от неизвестного существа...

"Уходи скорей! Уходи! — только и смог послать Найл концентрированный пучок энергии.— Беги, дружище, беги!"

Испытание нервов тянулось невыносимо долго, хотя на самом деле продолжалось всего несколько секунд.

Хуссу успел проворно взлететь по вертикальному подземному ходу и выскочить в разрушенный дом.

На поверхности, рядом с сотнями людей он чувствовал себя значительнее свободнее. Теперь он мог сражаться и никакой противник не мог бы его парализовать страхом.

Он ждал схватки, застыв над подземным ходом в боевой стойке, подрагивая от нетерпения, но из отверстия так никто и не появился. Тогда пустынник осторожно приблизился и глянул вниз.

По коже Найла даже побежал холодок, потому что из глубины черного вертикального колодца на Хуссу кто-то смотрел. Паука с невероятной ненавистью буравили отчетливо различимые во тьме красные светящиеся глаза...

ГЛАВА ДВАДЦАТАЯ

Все последующие дни Найл прожил в невероятном напряжении, но все никак не успевал заняться таинственным подземным лабиринтом, который неожиданно обнаружил Хуссу.

Страшные секреты непонятных катакомб постоянно возникали на крае его сознания, но он физически не мог уделить этому время. Рабочий день правителя после землетрясения продолжался целыми сутками напролет. Он пытался как-то наладить жизнь уцелевших, бывал в больницах у пострадавших, организовывал похороны.

Фактически он ничего не ел в эти дни, подпитываясь только чистой энергией с помощью ментального рефлектора.

Медальон помогал координировать работу самых важных узлов человеческого организма, но, как и всякое сильнодействующее средство, приносил определенные страдания.

Найл мог поворачивать диск и направлять отражающую сторону к груди, чтобы уменьшить активность действия, но даже это не приносило покоя. В те редкие мгновения, когда он оставался в одиночестве, его сознание все равно не отключалось, невольно прислушиваясь к тому, что происходит в умах окружающих его людей и в головах гигантских восьмилапых.

В дни тяжелых испытаний телепатические способности Найла настолько обострялись, что он, уже помимо своей воли, ощущал внутренний ритм окружающей его жизни.

Ничто не проникало извне в его истерзанное сознание свободно, просто так. Он не мог себе позволить роскошь расслабиться и допускать сдержанность по отношению к приходящей со всех сторон разнообразной параинформации.

В какой-то степени он даже становился жертвой собственных способностей, потому что до болезненности обостренно чувствовал все, что творилось вокруг него. Переживания и отрицательные эмоции горожан обволакивали его плотной пеленой, давившей тяжело, как толща морской воды.

Бесконечные несчастья, обрушивавшиеся на головы честных горожан, и их страдания стискивали его сознание тяжелым раскаленным кольцом.

Единственным местом, где он по-прежнему мог побыть наедине с самим собой, оставалась только Белая башня. Только там он мог по-настоящему сосредоточиться и не следить за сознанием, чтобы случайно не впустить внутрь себя что-нибудь неприятное или даже враждебное.

Полупрозрачный гигантский столп, вздымающиеся над Паучьим городом среди огромного скопища потрескавшихся закопченных небоскребов, как и прежде постоянно притягивал его воображение. Особенно в те трудные мгновения, когда так настоятельно требовались важные советы.

Проникая внутрь Капсулы времени, сооруженной по проекту гениального ученого Торвальда Стиига, он почти каждый раз попадал в новую обстановку.

Улетая перед Великой Зимой на Новую Землю, люди оставили колоссальный памятник развития цивилизации. Созданный под руководством Торвальда Стиига гигантский компьютер, колоссальный кремниевый мозг, внешне напоминавший небоскреб, впитал в себя весь необъятный опыт прошлых поколений людей.

Все сведения по вычислительной технике, кибернетике, истории, философии, географии, как и несметное множество прочих познаний — все это переводилось в цифровую форму и закладывалось в электронный разум на протяжении нескольких лет, с 2168 по 2175 год.

В центральный процессор, в колоссальный улей с кибернетической памятью, закодированной в кремнии, ежесекундно поступали терабайты самых разных сведений: индексы экономики и кадры космической съемки Земли, подробные метеорологические сводки и графики сейсмической активности, как и многое, многое другое.

Вся разнообразнейшая информация о знаниях и произведениях искусства переводилась в цифры, потом вместе с другими данными особым образом запаковывалась, архивировалась, переплавляясь в новый компьютерный продукт.

Память Белой башни обладала достаточным запасом разных моделей, чтобы при встрече с Найлом постоянно извлекать из своих неисчерпаемых недр нечто новое.

В безбрежном виртуальном мире он попадал и на гималайские вершины, и на Южный полюс, в древние Сиракузы и в Нью-Йорк двадцать второго века...

* * *

Когда он вместе с пауком-пустынником переступил порог Белой башни впервые после ужасного землетрясения, как всегда, их встретил седовласый старец.

Виртуальный, персонифицированный образ Капсулы времени, аватар по имени Стииг, на этот раз воплотился в хозяина средневекового поместья и предстал в суровом образе властного правителя, встречающего своих гостей у врат крепостной ограды.

Его плечи украшал роскошный бархатный плащ с рукавами в виде колоколов, а на толстой драгоценной цепи, опоясывавшей талию, виднелся короткий меч с богато украшенной рукоятью, спрятанный с роскошно инкрустированные ножны.

Вечернее солнце бросало мягкий багровый свет на его лицо, изборожденное морщинами и золотило длинные седые волосы.

— Доброго вам вечера, дорогие друзья! — улыбнулся он приветливой, но до предела холодной улыбкой.— На какой странице открыта Книга вашей жизни? На веселой или на скучной?

— Доброе и тебе вечера, почтенный Стииг! — печально отозвался Найл.— Хотя он не такой уж и славный для многих жителей нашего города, обитающих по другую сторону серебристых стен Белой башни. Так уж повелось, что в последнее время судьба не балует нас... Почему-то страницы нашей Книги жизни в последнее время щедро поливаются слезами! Почему так происходит?

Компьютерный наставник, словно не замечая удрученного состояния собеседника, снова улыбнулся и заметил, вскинув высоко седую голову:

— Нужно учиться читать Небесную книгу, наполненную не сочетаниями буква, а гармонией планет! Там все ключи к земным событиям... Рождаются новые поколения и погибают старые, играются свадьбы и звенят похоронные колокола... ничто не исчезает в вашем мире...

За долгие годы общения со Стиигом никак не удавалось привыкнуть к формуле “ваш мир”.

Сколько Найл ни убеждал себя, что виртуальный старец никак не может считаться человеком, каждый раз его внешний облик выглядел настолько правдоподобно, что Найл забывал о его искусственности.

— Ничто не исчезает в вашем мире бесследно, и нужно только уметь раскрывать страницы, на бесконечном пространстве которых запечатлен образ времени! — назидательно изрек наставник.

Самым благоразумным Найл счел почтительно смолчать, чтобы не вдохновить собеседника каким-нибудь вопросом на эту тему.

Цифровой образ времени, созданный великим Торвальдом Стиигом в середине двадцать второго века, был настоящим коньком старца. В тех случаях, когда Найл имел неосторожность выказать свою заинтересованность в этом вопросе, на него обрушивались ливни, потоки информации о тех успехах, которых удалось добиться компьютерщикам-программистам прошлого тысячелетия.

Поэтому пришлось только вежливо склонить голову и дать старцу время для поиска новой темы для беседы.

После традиционных приветствий они в вежливом молчании неторопливо прошли между стройными стволами выстроившихся в несколько рядов мощных дубов, образующих внушительную колоннаду, и взгляду Найла открылось роскошное зрелище.

На высоком холме, в медных лучах заката виднелся мрачный живописный замок с островерхими башенками.

Средневековый дворец, словно заимствованный из красивых легенд о рыцарях и драконах, возвышался прочно и непоколебимо, как стоящий у мола парусный военный корабль, ощерившийся длинными стволами боевых морских пушек.

Каждый раз Найл, восхищаясь компьютерными шедеврами, в глубине души даже немного сожалел, что Хуссу совершенно недоступна подобная красота. Несмотря на то, что паук изо всех сил лупился на виртуальные образы, впиваясь в них всей восьмеркой своих уникальных глаз, давно уже было проверено, что в его сознание эти образы так никогда и не поступают.

Вместо красивой иллюзорной картины выпуклые паучьи бусины всегда фиксировали только безостановочное мерцание линий и плавное пульсирование световых точек, складывавшихся в человеческом сознании в яркие пейзажи.

Мозг паука фиксировал компьютерные образы только в первичном виде, в виде бесформенной информации, не соединяя их воображением в нечто смысловое.

Они прошли в замок, и Найл не сомневался, что паук движется в удивительно скучном пространстве, среди иллюминирующих линий и сочленений рядов вибрирующих цифр. Хотя и сами цифры сознание пустынника, конечно же, воспринимало лишь как бесформенные узоры.

Электронные сигналы, излучаемые импульсными устройствами гигантского компьютера, обладали такой особенностью, что затрагивали только секторы сознания, присущие только людям и действующим на их воображение. Но подобные мозговые центры начисто отсутствовавшие у других существ, даже наделенных специфическим разумом.

На противоположной стороне просторного зала темнело жерло огромного полукруглого камина с порталом, отделанным черным мрамором.

Полыхающий камин обливал отблеском уютного, пусть и поддельного пламени, бросавшего отблески на смуглое, иссеченное морщинами лицо Стиига, окаймленное длинными белоснежными волосами. Безупречно зачесанные назад, они открывали высокий лоб мудреца, и ниспадали бархатный плащ роскошной непокорной гривой.

Стоило только им переступить порог и приблизиться к очагу, как за спинами возникли деревянные резные кресла с высокими прямыми спинками, украшенными с обеих сторон миниатюрными остроконечными башенками, точь-в-точь повторяющие те, что на замке.

Хозяин Белой башни даже не обернулся, а величественно опустился на сидение, положив тонкие белые руки на подлокотники.

Не глядя, сел и Найл. Он по опыту знал, что если бы даже виртуальное кресло стояло немного в стороне, оно бы моментально подстроилось и придвинулось бы к нему. Так что можно было не опасаться падения, если, конечно, только Стииг не собирался бы пошутить.

Но в этот вечер старец был настроен на серьезный лад, о чем говорил весь его внешний облик, выражавший образ “строгости”: крупные проницательные глаза, деловито поджатые губы, волевой подбородок.

— Я хотел бы узнать о подземных ходах, расположенных под Городом. Ты можешь мне рассказать что-нибудь? — попросил Найл, разглядывая искусственное пламя и поднимая хрустальный бокал, наполненный золотистым вином, с серебряного подноса, повисшего в воздухе.

Ему не терпелось проникнуть в разгадку многих тайн. Однако по собственному опыту он знал, что лучше прежде изучить обстановку.

Судя по всему, лабиринт, в который случайно проник Хуссу, существовал с древних времен. Скорее всего, он был сооружен еще в двадцать втором веке, а значит, должен был учитываться в памяти Белой башни.

— Скорее всего, ты имеешь в виду метрополитен,— хмыкнул старец, услышав примерное описание того, что смогло различить в полной темноте зрение пустынника.— Обыкновенный метрополитен, достопримечательность любого развитого мегаполиса прошлых веков...

— Что это? Ты мне никогда не объяснял!

— Зачем говорить о том, что уже безнадежно отмерло? — равнодушно пожал плечами Стииг, с театральной эффектностью поднося к губам свой кубок с вином.— В далеком прошлом, тысячу лет назад, каждый городской ребенок знал о таком виде общественного транспорта, хотя порядочные люди предпочитали не соваться под землю.

— Почему?

— Потому, что для любого человека всегда было противоестественно перемещать свое тело вдоль по душной каменной кишке. Уважающие себя господа, страдающие клаустрофобией, в прошлом передвигались по улицам между небоскребами на роскошных воздушных катамаранах, из окон которых открывался великолепный вид сверху на город. В крайнем случае они пользовались скоростными геликоптерами или наземными лимузинами. Но подземка... нет, это был удел убогой нищеты, недостойный приличных граждан.

Изумлению Найла не было предела.

— Значит, под нашим городом до сих пор пролегает такая линия?

— Мой друг, под городом расположена целая сеть, огромная система подземных линий, не уступающая по сложности органам кровообращения в твоем организме! — усмехнулся старец.— Если бы ты захотел пройти пешком по всем подземным дорогам, тебе не хватило бы и целой недели для этого, причем даже если бы ты шагал без остановки днем и ночью! Кроме всего прочего, многочисленные линии опутаны системами вентиляционных ходов, канализации, служебных эксплуатационных шахт... Там пролегают специальные штольни для оптико-волоконной связи... Словом, под улицами и площадями расположен еще один огромный город, ничуть не уступающий по сложности видимому, верхнему...

— Я об этом ничего не знал! Ты не рассказывал! — с детской обидой протянул Найл.

— Но ты и не спрашивал,— резонно возразил старец.— Невозможно открыть тебе все тайны сразу!

— Можешь показать мне план?

— Конечно...— кивнул Стииг.— Смотри!

Он энергично махнул бокалом в сторону стены, выплескивая почти все содержимое. Брызги белого вина моментально превратились в капли жидкого серебра, быстро заструившиеся по черным плитам, словно шарики ртути. На стене через мгновение ковриком расстелился компьютерный монитор.

Рядом с резными креслами возник экран, большой и тонкий, наподобие листа обыкновенной бумаги.

Все его пространство, строго сориентированное по частям света, занимала блеклая карта города, напоминающая по форме сплющенный круг.

Найл прекрасно знал эту карту, пересекавшуюся толстой линией главного проспекта, тянущегося с севера на юг, и разделенную на две части голубой линией реки.

Поверх контурно намеченного плана города жирно змеились линии бывшей подземки.

— Каждая ветка древнего метрополитена на плане выделена своим, особым цветом. Видишь, это Южная, это Речная, это Центральная, это Восточная...

— Что это за объемные кружки?

— Они обозначают некогда существовавшие станции... там расположены старые платформы и ступени переходов между соседними станциями.

Стииг обратил его внимание на продолговатые цилиндры, обозначенные на карте в конце разных линий.

— Это депо... отстойники для поездов. Не исключаю, что они до сих пор могут пребывать в рабочем состоянии. В двадцать втором веке создавались весьма надежные источники энергии. Пользовались ведь вы лазерными разрядниками?

— Конечно!

— “Жнецы” пролежали в арсенале больше тысячи лет. Вполне возможно, что ты сможешь возродить и метрополитен. Если, конечно, возникнет такое желание!

— Сначала нужно разобраться с его жестокими обитателями... Как ты считаешь, что же за сила обитает там, под землей? — тяжело вздохнул Найл.— Хуссу обнаружил там целую груду человеческих скелетов... Интуиция мне подсказывает, что там могут оказаться останки тех горожан, которые бесследно пропадали на протяжении многих месяцев...

Несколько минут старец сидел недвижно и даже глаза его, обычно живые и проницательные, словно остекленели, остановились на время.

По собственному опыту Найл знал, что в эти мгновения бесполезно что-либо делать. Компьютер размышлял и перебирал имевшуюся огромную базу данных в поисках единственно верного ответа.

— Можно было бы привести массу вариантов,— наконец вернулся Стииг к беседе.— Там будут и самые невероятные. Тольке я склоняюсь к простому ответу: крысы!

— Не может быть! — не поверил Найл своим ушам.— Ты, действительно, уверен в такой гипотезе?

— Абсолютно!

Насколько помнил Найл, крысы все время жили в городе, даже в самые черные времена рабства, и часто становились жертвами смертоносцев. Огромные пауки любили охотиться на хвостатых грызунов, даже несмотря на их малые размеры.

Свежее крысиное мясо всегда считалось у них особенно ароматным и было настоящим деликатесом для восьмилапых.

— Но это невозможно...— не хотел сдаваться он.— Эти зверьки очень маленькие, тщедушные... Как они могли похищать горожан? Как они могли нападать на самок смертоносцев?

Седовласый Стииг не разделял его скептицизма. Наоборот, он уважительно кивнул головой:

— Все может быть! Я уже тебе рассказывал, что по некоторым научным выкладкам самым древним млекопитающим предком человека была... обыкновенная крыса?

— Да, конечно,— согласился Найл.— Но это было так давно, что казалось мне почти что легендарным!

— Тем не менее, ты должен каждый день по утрам говорить себе и, особенно, своим подчиненным, что вашим далеким предком была небольшая тварь с гибким позвоночником и длинным хвостом! — торжествующе заявил Стииг и вперил взгляд в кресло Найла, словно вычисляя, не покажется ли сейчас из туники Главы Совета Свободных острый кончик пушистого хвоста.— Чтобы вас не заносила гордыня, нужно все время напоминать себе о таком факте!

9 Зак. 3230

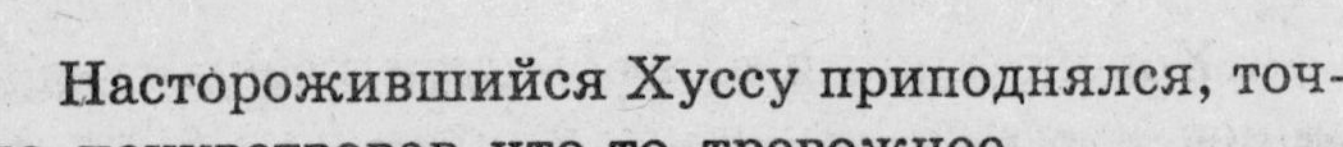

Насторожившийся Хуссу приподнялся, точно почувствовав что-то тревожное.

Паук не воспринимал виртуальный образ Стиига, как и не мог улавливать его речь. Однако по взбудораженным импульсам, полетевшими кольцами от напряженного сознания своего хозяина, он сразу уловил нечто неладное.

— Около десяти миллионов лет назад большой палец у этих животных разработал подвижность и это стало залогом их успеха,— продолжил наставник.— Хотя, скорее всего, дело было не только даже в этом самом знаменитом пальце. В сознании крыс появилось нечто мощное, позволившее им сопротивляться в самой жестокой борьбе, и это главное!

— Ты думаешь, у них, действительно, было так развито сознание, что это помогло им выстоять?

— Сотни других видов живых существ казались созданными более совершенно, но оказались менее приспособлены к борьбе за выживание, сотни, тысячи других, совершенных видов вымерли! Крысы, ничтожные млекопитающие, вроде бы обречены были на небытие! Казалось, что эволюция уготовила им роль исчезающего вида... Только рассудок их упорно не сдавался, сознание их цеплялся за существование на планете и поэтому они захватывали все новые и новые ареалы обитания... Крысы разбежались по всему миру! Немного можно назвать подобных случаев!

— Хорошо, они и в самом деле распространились повсюду. Судя по книгам, их можно было встретить абсолютно везде. Но почему же лично я обязан каждое утро бросать в лицо своим подчиненным фразы про длинный хвост и большой палец? Какая тут связь?! — взмолился Найл.

— Связь прямая... Одна группа крыс, постепенно поднявшись на деревья, превратилась в обезьян. Ты же не будешь спорить, что обезьяна уже отдаленно напоминает человека. Другая сохранила свой прежний облик, но сумела выжить, все время приспосабливаясь к меняющимся условиям... эта группа могла со временем даже мутировать, видоизмениться... Вспомни, что произошло с пауками-смертоносцами!

Искусственный разум почти никогда не ошибался...

— Представь себе только, что одна многочисленная стая после мутации могла уйти давным-давно под землю! Стая нашла себе пристанище в душных коридорах древней подземки и о ней даже не подозревали смертоносцы... эти твари и превратились в настоящих хищников, терроризирующих твой Город.

— Разве может живой организм так кардинально измениться? — недоверчиво спросил Найл.

Вместо ответа компьютерный старец язвительно улыбнулся и неожиданно предложил:

— Попробуй умножить четыре целых шесть десятых на десять в девятой степени... Попробуй, раскинь мозгами!

— Что же... сейчас попробуем...— с готовностью откликнулся Найл, делая вид, что судорожно пытается выиграть время, пытаясь найти ответ на этот незамысловатый вопрос, требующий элементарной операции с девятью нулями.— Как ты понимаешь, это просто... ничего особенно трансцендентного тут нет... в свое время мне приходилось решать задачки более заковыристые...

— Знаю, знаю...— с проницательной усмешкой отозвался Стигмастер.— Все таки ты уже должен был расколоть эту проблему...

В некоторые мгновения, в моменты озарения Найл чувствовал в себе исключительные, невероятные, даже чудовищные способности к математике, которые, впрочем, иногда тускнели и вовсе пропадали под напором ежедневных житейских проблем. Но сейчас не нужно было прилагать особых умственных усилий, поэтому он с важным видом ответил:

— Четыре миллиарда шестьсот миллионов. Что же это за число?

— Четыре миллиарда шестьсот миллионов лет! — Стигмастер назидательно поднял вверх узкий палец.— Приблизительно четыре миллиарда шестьсот миллионов лет понадобилось солнечной системе для того, чтобы она начала приобретать современный вид... Представляешь, какой пришлось путь, и это была дорога сплошных изменений. Как ни странно, но основная проблема биологической истории Земли состоит в том, что ее практически невозможно изучить! Не осталось никаких очевидных следов потому, что с тех пор, со дня Творения земля преобразовывалась несчетное количество раз. Камни, вода, воздух... даже их происхождение нельзя больше проследить, не говоря уже о живых организмах! На Земле давно уже не существует существ, сохранивших свою первоначальную форму...

— Хочешь сказать, что крысы прыгнули на другую ступень развития до такой степени, что стали нападать на горожан?

— Во времена рабства эти свирепые твари могли пристраститься к человеческому мясу. Кто тогда следил за исчезновением жителей?

— Никто,— печально согласился Найл.— Все равно грех падал на смертоносцев!

— Крысы и после Договора так смогли организовывать свои вылазки, что никто не мог объяснить таинственные исчезновения целых семей. Несчастные пропадали под землей, и только их кости потом, после дождей, через отводы канализации попадали на берега реки...

— Если ты прав, то зачем же они губили паучьих самок? — не хотел сдаваться Найл. Для чего похищали яйца?

Стииг снова задумался. Да так, что даже языки пламени в камине замерли на это время. Последовала долгая пауза с видом на роскошную дубовую рощу, вздымающуюся к компьютерным небесам.

— На смертоносцев крысы могли нападать по двум причинам,— торжествующе возобновил беседу старец.— Во-первых, из чувства мести, они могли терзать и мучить их лишь для собственного удовлетворения. Память таких кровожадных тварей хранит все... Долгие годы они служили пищей гигантским паукам и, почувствовав силу, не собирались уже прощать ничего.

— А во-вторых...

— И после этого, похоже, что вас с пауками собирались стравить. Завязалась бы война, во время которой никто бы не смотрел на количество трупов. Вы со смертоносцами винили бы друг друга во всех прегрешениях и уничтожали бы... Как знать если бы через несколько лет крысиное племя захватили бы полностью власть в городе, то человечеству пришлось бы подчиниться им так же, как в свое время люди признали свое поражение в схватке со смертоносцами...

В этот момент Найл невольно похолодел, и его даже передернуло от отвращения. Перед внутренним взором возникли таинственные красные глаза, с ненавистью сверлившие пустынника Хуссу из жерла колодца, ведущего в подземные лабиринты.

Судя по всему, та тварь была размером с крупную собаку...

ГЛАВА ДВАДЦАТЬ ПЕРВАЯ

На следующий день после этого долгого разговора со Стиигом он стал решительно действовать. Первым делом Найл приказал своим помощникам проверить еще раз все дома, из которых пропали за последние месяцы горожане.

Хибары, в которых все произошло, в основном, так и пустовали с тех пор. Несмотря на определенные трудности, ощущавшиеся в Городе с жильем, никто не хотел поселяться там после чудовищных злодеяний, заставивших всех в округе содрогнуться.

Вид залитых кровью стен отпугивал каждого, кто только переступал порог, и десятки скорбных домов стояли нежилыми, угрюмо взирая на свет подслеповатыми неосвещенными окнами.

На проверку по приказу Найла поехало пять человек под предводительством мудрого Симеона.

Вооруженные клинками Гастурт и Марбус выполняли роль охранников и должны были оберегать экспедицию от всех опасных неожиданностей, а седовласый ученый в компании своих дотошных племянников, долгие годы работавших у него ассистентами, должен был провести тщательное расследование.

На крупной карте Города, покоившейся в заплечном планшете Симеона, окраинные кварталы пестрили жирными значками. Зловещими красными крестами было обозначено каждое место, где произошло таинственное преступление.

Жилище Флода, едва державшееся после землетрясения на самом краю обрыва, в конце концов рухнуло в пропасть, и начинать осмотр было решено с лачуги того самого Шиллиха, что пропал со всеми своими домочадцами еще глухой зимой, в самый разгар жестоких морозов, когда все честные горожане находились в панике, ведь их властитель, Глава Совета Свободных, внезапно оказался в заложниках в черном дворце Смертоносца-Повелителя.

К невзрачному дому, расположенному на северной окраине, они добрались в тот момент, когда вокруг вовсю назревала страшной силы гроза.

Яростный ветер взламывал свинцовую гладь влажного небосвода, и черные тучи угрюмо ползли с разных сторон, сшибаясь и нагромождая над головами какие-то мрачные воздушные скалы.

Все члены небольшого отряда чувствовали себя неуютно, поднимая глаза и обнаруживая зловещие утесы, состоящие из тяжелых грозовых клубов.

Когда они находились уже у самого порога жилища несчастного Шиллиха, раздался оглушительный удар грома. Почти у всех промелькнула пугливая мысль, что такой невероятный грохот мог бы легко разнес голову каждого вдребезги.

Хлынул ливень, но все они уже успели заскочить внутрь, под убогое укрытие ветхой крыши. Весь дом внутри был наполнен неумолчным грохотом пересыпающейся по крыше грозовой дроби, прорезаемым каждые несколько секунд очередными оглушительными раскатами грома.

От спертого воздуха и запаха затхлости, ударившего в нос, в первое же мгновение у всех перехватило дыхание. Воняло мусором, пылью, отбросами и чем-то еще, чем-то непривычным и зловещим...

Мясистые ноздри Симеона широко раздувались. Несмотря на отвращение, он заставлял себя глубоко вдыхать воздух и анализировать.

Как исследователь, он должен был сразу понять природу этого странного запаха, но, к своему неудовольствию, сразу не мог этого сделать.

— Зажгите фонари! — приказал он Гастурту и Марбусу.— И держите их все время за моей спиной!

Фонари вспыхнули и два желтых пятна света упали на грязные стены, хотя тут же потонули в ослепительных потоках. С обеих сторон комнаты, в низеньких закопченных окнах полыхнули фиолетовые зигзаги молний, врезавшиеся друг в друга тяжелыми копьями и разлетевшиеся в разные стороны бесчисленными ослепительными и аляповатыми брызгами.

В этих сполохах, поглотивших непритязательный свет фонарей и ярко освещающих все закоулки мрачной хибары Шиллиха, перед взглядами Симеона и его подручных снова предстала картина давнего преступления.

Взгляду открылся невероятный беспорядок, царивший во всей двух комнатах скромного жилища. Возникало такое ощущение, что кто-то задался целью вытащить наружу весь скарб хранившийся в ларях и разорвать на клочки каждую вещь.

Здесь никто не убирал тех пор и немыслимый хаос заполнял каждый дюйм пространства.

Фелим и Бойд, племянники-ассистенты, захватили с собой листы чистой бумаги и острые грифели, чтобы зарисовать всю обстановку. Но, увидев чудовищный разгром, они даже немного оторопели в первый мгновения, внимательно ощупывая все вокруг пытливыми взглядами и не зная, за что браться прежде всего.

— Сначала осмотрим следы и попробуем понять, что произошло,— сказал бородатый доктор.— Может, наши глаза заметят что-нибудь важное... Давайте, умники, действуйте! Что вы замерли на месте?

— Прошло почти три месяца! Нужно было делать это сразу, как только люди пропали,— укоризненно заметил Фелим, всегда отличавшийся язвительностью.— Почему вы, магистр, сразу не сделали этого? Поручили бы это нам с Бойдом, мы бы сразу все обнаружили.

Из-под седых бровей Симеона грозно сверкнули властные глаза.

Несмотря на то, что его племянников уже трудно было назвать мальчишками,— обоим им перевалило далеко за тридцать, для пожилого доктора они все еще оставались желторотыми учениками.

— Послушай, ты, лягушачий палач, где ты был во время морозов, когда все произошло? Где ты пропадал? Прижимал свою задницу к горячей кастрюле на дворцовой кухне? — с негодованием воскликнул врач.— Если ты после землетрясения в полной темноте сумел замотать несколько легких ран тряпками из паучьего шелка, это еще ничего не значит... Захлопни свой клюв, ехидный цыпленок, и молча выполняй команды старших!

Зимой каждый из горожан был уверен, что исчезновения людей связаны только со смертоносцами.

Никому и в голову не приходило, что кто-то другой мог проливать кровь честных жителей.

Сейчас в глубине души Симеон не мог простить себе этого, безумно корил себя за невнимательность и поэтому так обрушился на племянника, невольно угодившего своей едкой репликой в самое больное место.

Почувствовав, что на эту тему лучше не распространяться, пристыженный Фелим взялся за дело, отдалившись на самый край, подальше от своего грозного дяди.

— Старина, давай каждый из нас возьмет для работы по углу комнаты. Каждый будет внимательно там все изучать, дюйм за дюймом, шаг за шагом, и никто никому не станет мешать. Согласен? — предложил он Бойду.— Потом осмотрим еще раз и расскажем все нашему грозному повелителю. Согласен?

— Давай! Так будет лучше, наверное,— согласился его старший брат.— Фиксируй все необычные следы на бумаге, а если что будет неясно, так зови меня на помощь, лягушачий палач...

— Справлюсь и без твоей помощи, предводитель дождевых червей,— огрызнулся напоследок Фелим и после этого молча принялся за дело.

Довольно долго в душном доме царила полная тишина. Симеон со своими племянниками осматривал жилище, не поднимая головы и ощупывая пристальными взглядами каждый клочок замусоренного пространства.

Гастурт и Марбус сначала прилежно светили фонарями, но потом гром стих, и яростная гроза закончилась. Рассеялись черные тучи, из-за горизонта выглянул ослепительный золотой диск, и угрюмая тьма стремительно сменилась ярким светом, заполнившим всю лачугу.

Фонари оказались совершенно не нужны. Симеон приказал молодым охранникам, заскучавшим без дела, отойти в сторону, чтобы они не путались под ногами.

— Только сейчас не ходить через комнаты! Не бродить тут! — недовольно рявкнул он, в задумчивости покусывая густые седые пряди своей необъятной бороды.— Затопчете своими медвежьими лапами последние следы, которые все еще остались, знаю я вас... Шагайте в другую сторону! Когда понадобитесь, я крикну...

Парни отошли в самый дальний угол дома, в небольшое помещение, напоминавшее, скорей, глухой темный чулан без окон.

Здесь пахло ужасно, неприятный запах раздражал дыхание еще сильнее, чем в комнатах.

Однако Джелло, начальник дворцовой охраны, так вымуштровал своих воспитанников, что им даже в голову не приходило роптать на судьбу и попросить у Симеона разрешения перебраться в другое место.

— Откуда же так воняет...— едва слышно пробурчал Марбус, зажимая пальцами нос.— Душегубка какая-то... дерьмо паучье там валяется кучами, не иначе...

Гастурт наклонился и присел на корточки, что-то рассматривая.

— Похоже, что разит снизу...— сдавленно просипел он, едва сдерживая тошноту, мутным комом подвалившую из живота к горлу.— Видишь, какие щели широкие между досок? Оттуда и несет...

Он двинул плахи, прикрывавшие все пространство пола, и обнаружил, что они совершенно не закреплены.

— Доски лежат свободно, они даже не прибиты... Что там такое? Погреб?

— Сейчас узнаем...

— Эй, приятель... ты что собрался делать? — удивленно протянул Марбус.— Зачем ты отодвигаешь рейки?

— Мы только посмотрим и все...— прошептал Гастурт.— Зато представь, вдруг мы что-то обнаружим? Нас похвалит мастер Джелло... от этого седобородого доктора никогда слова доброго не дождешься...

Под толстыми покривившимися досками, покрытыми зеленоватым налетом плесени, открылся темный прямоугольник пустоты.

Неприятный запах, преследовавший людей еще в комнатах, резко усилился, однако молодых охранников уже ничто не могло остановить.

— Я хочу посмотреть, что там, внизу...— едва слышно, но решительно заявил Гастурт. — Запали-ка, дружище, фонарь... тот, что поярче...

— Не стоит... нужно позвать доктора! Все-таки, он старший в нашем отряде...

— Перестань! Как нас учил мастер Джелло? Ничего не бойся, воин, и смело действуй по обстоятельствам!

Охранник уже наполовину забрался в зловонный провал и готов был проскользнуть дальше, когда друг протянул ему горящий светильник.

Детство Гастурта прошло в Городе, и он вырос в те годы, когда кругом все время гибли люди. Везде висели жгуты паучих ловушек, на башнях торчали черные смертоносцы, на всех важнейших дорогах проходы караулили бурые бойцовые пауки, отличавшиеся своей жестокостью. Каждый из них мог безболезненно прибить горожанина в любой момент и тут же сожрать.

Вокруг мальчишки, на всех его окружающих все время падала тень смерти, но он постоянно учил себя преодолевать постыдную слабость страха.

Это качество сохранилось у него и потом, в юности, поэтому он без всяких колебаний выбрал путь бойца, став охранником не кого-нибудь, а самого важного человека в Городе, Главы Совета Свободных.

Не станет же личный телохранитель Властителя бояться какого-то подземного хода!

Но не успел Гастурт решительно продвинуться и на пару метров вперед по колодцу, как нога его сорвалась, фонарь внезапно потух и он всем телом рухнул куда-то вниз. Летел он в полной темноте так долго, что даже стал задыхаться от напряжения.

Будь внизу острые углы или камни, он, конечно, в один момент переломал бы все кости и не смог сдвинуться с места. Но ему в этот день повезло.

Несколько раз цепляясь подолом походной туники за что-то мягкое, он повалился в рыхлую почву и приземлился достаточно успешно. Все обошлось нормально, только болезненно, с глухим стуком, он в самом низу врезался лбом в свой же собственный фонарь, по-прежнему крепко зажатый в руке.

Дно подземного хода не застало его врасплох. Гастурт даже ухитрился сразу развернуться и встать на четвереньки, чтобы отразить возможную атаку. Он поднялся на ноги и в полумраке ощупал руки и ноги.

Сверху, из бледного расплывчатого пятна света, брезжущего над головой, слабо раздался тревожный голос его напарника:

— Ты жив, приятель?

— Хвала небесам! Кажется, я уцелел,— бросил он вверх, потирая ушибленный лоб и слегка морщась от боли. Только я думал, что у меня в брюхе что-то оборвалось, когда я брякнулся сверху...

Тяжелый запах, неприятно поразивший их еще наверху, в доме Флода, в подземном ходе только усилился и стал совершенно невыносимым.

— Поднимайся скорее! — донесся снаружи голос Марбуса.— Сейчас я позову доктора Симеона!

— Подожди! Не делай этого пока! — прикрикнул на него Гастурт.— Если уж я загремел сюда, нужно хорошенько все осмотреть!

— Ты что! С ума сошел? Я пошел к врачу и все ему доложу!

— Делай, что хочешь!

Гастурт уже вошел во вкус исследователя и рвался к полной самостоятельности, поэтому совсем не хотел торопиться.

Рукоять острого клинка придавала уверенности, а желтый луч зажженного газового фонаря позволил оценить окружающую обстановку.

На этот раз охранник оказался на дне небольшого покатого земляного туннеля, поэтому ему и пришлось пережить несколько неприятных мгновений, кубарем слетая по наклонной плоскости.

Продвинувшись вперед, он, к своему изумлению, обнаружил под ногами широкие ступени, ведущие еще глубже.

Каменная лестница, покрытая толстым слоем какого-то мягкого, влажного налета, устремлялась вглубь и вела в какую-то необычную залу с гладкими полукруглыми сводами. Просторное продолговатое помещение тянулось не меньше, чем на пару сотен шагов и дальний край его терялся где-то в беспросветном мраке.

Гастурт проник сюда через узкий земляной проем, напоминающий, скорей, по размерам обыкновенное окно, и в первый момент был так ошеломлен увиденным, что не мог даже сообразить, куда он попал. О разветвленной сети древней подземки, простиравшейся под городскими кварталами, Найл еще не успел рассказать своим подчиненным, так что охранник ломал голову, пытаясь осмыслить увиденное.

Стены, сложенные из полированного камня, так хорошо отражали лучи его фонаря, что казалось поверхности сами излучали неясный мерцающий свет.

Его глаза, привыкшие к темноте, в этом странном зеркальном освещении могли даже различать небольшие детали обстановки. Впереди темнели какие-то колонны, металлические поручни, ограждения...

— Что же это? — едва слышно спросил Гастурт сам себя, утирая лицо рукавом походной туники.— Куда я попал, прах меня побери...

Еще совсем недавно, несколько минут назад, он находился рядом со своими спутниками в хорошо знакомой обстановке. И вдруг...

До конца он так и не мог поверить, что все происходит с ним не во сне!

Он часто и прерывисто дышал, потому что воздуха все время не хватало.

Атмосфера здесь была очень влажной, спертой, до предела насыщенной испарениями, от которых заметно кружилась голова, так что охранник прижимал к носу ворот своей туники, чтобы хоть как-то облегчить дыхание.

Предназначение подземного помещения оставалось для него загадкой. В центре протягивалась длинная плита, по обе стороны от которой темнели широкие желоба. Он подошел еще ближе и увидел, что длинная платформа в конце упирается в достаточно низкий проем с полукруглыми сводами.

Внезапно до его настороженного слуха именно оттуда донеслись какие-то странные звуки. Он остановился, как вкопанный, и прислушался еще раз, развернув ухо по-собачьему.

Сомнений не оставалось. С дальней стороны зала снова послышались эти же загадочные звуки.

Судорожно сглотнув, Гастурт переложил фонарь в левую руку и крепко сжал рукоятку своего верного клинка.

В этот момент больше всего на свете он мечтал бы ощутить обеими ладонями холод увесистого ложа лазерного разрядника. Но все “жнецы”, по условиям нового соглашения, снова были упрятаны в каземат, а свой пневматический гарпун Джелло никогда не снимал с плеча.

Вот и пришлось обоим охранникам отправиться вместе с Симеоном, имея на вооружении лишь короткие, но правда очень острые молибденовые мечи.

Шорохи снова повторились...

На этот раз до его слуха доносилось не завывание подземного сквозняка, а зловещее шипение, могильным холодом страха обволакивавшее судорожно бьющееся сердце. Он услышал неведомую, нечленораздельную речь каких-то существ, напоминавшую яростный писк или даже скрежет металла по гладкому стеклу.

Бежать он был не в состоянии, так как чувствовал, что подошвы словно намертво приросли к полированным плитам платформы...

Гастурт встряхнул головой и заставил себя бросить взгляд по направлению к проему. Он даже среди всех молодых охранников отличался на редкость острым зрением, так что через мгновение сердце его наполнилось ледяной дрожью, и перед глазами пошли темные круги...

Из тьмы лабиринта прямо на него медленно наступали зловещие морды.

Невероятные тени выползали из мрака. Они постепенно формировались, приобретая четкие очертания живых существ, и явно нацеливались на Гастурта.

Таинственные создания двигались вперед, уже стали видны их продолговатые головы, сидящие на плотно сбитых, массивных туловищах... В свете газового фонаря поблескивала гладкая темно-серая шерсть, покрывающая мускулистые тела... и усы, жесткие антенны усов, воинственно торчавших на яйцевидных головах!

Одним словом, если бы он не был уверен, что не спит, он бы сказал, что это крысы. Только перед ним были создания, в десятки раз превосходящие по размерам обыкновенных подвальных грызунов-вредителей!

Подземные твари не только пристально смотрели на него, но и что-то словно говорили, явно объясняясь между собой на своем особом наречии.

Из пастей вырывались шелестящие, скрипучие звуки, от звучания которых парня каждый раз словно окатывало холодным, влажным ужасом. Голоса тварей напоминали то писк, то шипение речных волн, накатывающих во время волнения белыми бурунами на прибрежную гальку.

Гастурт чувствовал, что дело не только в его примитивном страхе. Все-таки, он не был ученым белоручкой, просиживавшим целые дни за пыльными книгами. Старый Джелло немало потрудился над его мужским воспитанием, безжалостно выбивая любые проявления страха.

Охранник проходил и ментальную подготовку, причем у самого опытного человека, у Главы Совета Свободных. Властитель Найл учил всех своих стражников, как в случае опасности преодолевать воздействие враждебной воли пауков-смертоносцев, и Гастурт владел приемами телепатической защиты.

В какой-то момент он понял, что гигантские крысы хотят не просто напасть на него. Твари не подходили слишком быстро, держались в стороне и рассчитывали полностью парализовать волю пришельца, оказывая мощное коллективное воздействие на его психику.

Телепатический гнет все усиливался. Близко посаженные красные треугольные глаза пронзали Гастурта такой чудовищной ненавистью, что от их приближающегося взглядов он почти терял над собой контроль.

Казалось, что каменный пол под ногами уходит куда-то в сторону, как вершина катящегося шара.

Голову словно сдавливал безумно тесный металлический обруч, от которого невозможно было избавиться. Тиски не ослабевали, а только усиливались. Судорога пошла по всему телу...

Остатка сил хватило только на то, чтобы отчаянно вскрикнуть:

— Помогите! Помогите...

Он не знал, кто может услышать его слабый голос, глухо прозвучавший в безбрежных туннелях и тут же погасший во тьме. Ужасные фигуры надвигались на него и крик вырвался от безнадежного отчаяния.

Но, параллельно с этим, его мечущийся мозг послал отчаянный сигнал тревоги, и в это же время он вдруг явственно ощутил телепатический отклик.

“Держись, трусливая обезьяна! — прогремел вдруг в сознании Гастурта раскатистый голос неустрашимого Джелло.— Заткни им пасти! Забей пасть каждой из этих помойных тварей!”

Слова прозвучали так явственно, точно начальник охраны стоял за спиной всего в нескольких метрах. Молодой человек тут же воспрял, тряхнул головой, словно сбрасывая со лба тугое давящее кольцо, и легко, пружинисто отпрыгнул в сторону.

Невыносимое зловоние, пропитавшее все даже наверху, в доме Шиллиха, без всяких сомнений исходило именно от этих гладких тварей, но это уже не могло остановить Гастурта. Его молибденовый клинок воинственно описал сверкающий круг, с едва уловимым свистом рассекая застойный воздух подземелья, и из горла охранника вырвались бравые ругательства:

— Ну, что, смердящие твари! Сейчас я укорочу вас, сделаю каждую поменьше ровно на голову!

Он поставил на пол фонарь и застыл в боевой стойке, чуть подпружинив ноги, сутулясь и мягко выставив вперед руки.

Крысы на мгновение замерли и опешили. Они даже словно переглянулись между собой и оживленно запищали, словно спрашивая друг у друга совета.

Было видно, что поведение пришельца поставило их в тупик. Никто еще из их жертв

не принимал ужасного вызова с таким бесстрашием.

И немудрено,— промелькнуло в сознании Гастурта, ведь они привыкли нападать на мирных, сонных, безоружных горожан, и еще ни разу кровожадным тварям не доводилось встречаться с настоящим воином.

Гигантские крысы уже были абсолютно уверены, что все живущие наверху, и люди, и черные смертоносцы, не смогут оказать им достойного сопротивления и убедили себя в полном господстве. Утаскивая в подземные норы женщин и детей, стариков и старух, самок смертоносцев и паучьи яйца, это зловонное племя решило, что их сознание не может противостоять злобным мощным импульсам крыс.

Воспрявший Гастурт дрожал от предчувствия близкой схватки. Он уже полностью овладел собой, сумел закрыть все важнейшие секторы своего сознания, и ни один хлесткий телепатический импульс не проникал внутрь его психической сущности.

Тогда крысы, убедившись в бесплодности ментальных атак, ринулись в бой.

В свете газового фонаря высоко взметнулся голый блестящий хвост, напоминающий огромную упитанную змею.

Одна из тварей, самая злобная, ринулась вперед других.

С легким шуршанием она бросила мускулистое тело в атаку, не сомневаясь в легкой победе. Через мгновение своды подземелья огласил дикий судорожный визг,— молибденовый клинок, повинуясь движению ловкой руки Гастурта, коротко взлетел влево и обрушился на яйцевидную морду, рассекая ее поперечным резаным ударом.

Меч с тупым коротким чавкающим звуком пролетел по переносице, и ослепшая на один глаз крыса отлетела в сторону. От боли она упала на спину и начала биться в немыслимых судорогах, беспомощно размахивая в воздухе короткими когтистыми лапами.

Воодушевленный своим первым успехом, Гастурт теперь сам рванулся в бой. Его короткий меч взмыл в воздух и устремился на голову ближайшей твари.

Движение вышло отличное, стремительное и Джелло, наверняка похвалил бы его, если бы в этот момент действительно находился где-нибудь за спиной.

Любой другой соперник после такого эффектного маневра Гастурта, скорее всего, уже рухнул бы наземь с рассеченным черепом. Только крыса, прекрасно ориентирующаяся в темноте, легко уклонилась едва уловимым движением и с шипением оскалила ужасные резцы.

Первая неудача не смутила молодого охранника.

Немного пригнувшись и расставив в стороны руки, он кружил вокруг, делая ложные колющие выпады и отпугивая ощерившихся животных. Наконец меч его устремился вперед с быстротой молнии, нацеливаясь острием прямо в морду все той же твари.

Однако снова молибденовый клинок пронзил пустой воздух и не успел он отпрыгнуть, как жуткие зубы вцепились в его запястье. Зловонная пасть сомкнулась на его мускулистой руке и, кроме своего тяжелого дыхания он услышал отчетливый хруст...

Яростный рев вырвался из мощной груди Гастурта. Ослепительная вспышка боли шарахнула по его сознанию, но крыса не отпускала его, а только стискивала мощные челюсти. Вторая бросилась на него и вонзила резцы в ногу...

Взрыв новой боли оказался таким мощным, что даже затмил первый. Гастурт потерял равновесие, но даже упав, не оставлял сопротивление.

Он боролся с подземными животными, пытаясь сбросить их с себя, но тщетно...

Голова его наполнялась их торжествующими хрипами, собственными стонами и треском своей плоти, раздираемой острыми зубами. В ушах повис тяжелый тупой звон, перед глазами мелькали молнии.

Он почувствовал, что проваливается в какую-то бездну. Но перед тем, как окончательно рухнуть в темную пучину, краем сознания он еще заметил человеческие фигуры, бежавшие с факелами с той стороны, откуда он пришел сюда.

— Гастурт, держись! — загремел под сводами чей-то рокочущий громовой голос, показавшийся ему очень знакомым.— Мы рядом!

Следом раздались другие крики, и эти голоса ему тоже были знакомы.

— Симеон... Марбус... друзья...— слабым голосом прошептал он, из последних сил отбиваясь от зловонных бестий, и в это мгновение мозг его не выдержал.

Крысиные зубы все еще безжалостно впивались в его тело, причиняя неимоверные страдания.

Гастурт не мог больше сопротивляться и потерял сознание, причем ему казалось, что он с мучительными стонами проваливается в смердящую бездну...

ГЛАВА ДВАДЦАТЬ ВТОРАЯ

Совершенно не подозревая о чрезмерной самостоятельности и смелости Гастурта, Симеон вместе со своими племянниками осматривал жилище Шиллиха, распределив комнаты на сектора для самостоятельного изучения. Втроем они были так поглощены своим кропотливым делом, что каждый работал в своем углу, не поднимая головы.

Не так то легко ощупывать пристальными взглядами каждый клочок замусоренного пространства и искать там нечто подозрительное. Особенно после того, как почти каждую вещь уже окутал толстый слой пыли, налетевшей за несколько месяцев, прошедших с той самой ночи, когда здесь произошло ужасное злодеяние.

Несколько раз внимание Симеона привлекали странные, необычные следы, слабо видневшиеся кое-где на замусоренных половицах. Людям, без всякого сомнения, эти отпечатки не могли принадлежать. Он мог бы поклясться, что и ни один паук из всех ему известных не мог бы оставить такие следы.

Отчетливо проявлялся отпечаток самого большого пальца из трех и такая конфигурация никак не могла присутствовать на лапе смертоносца.

— Да, если бы мы зимой тут тщательно все осмотрели... Многое сразу бы прояснилось...— тихонько он даже проворчал себе в седую бороду.— Смертоносцы в этих делах не замешаны. Теперь мне это ясно, все читается, как по ученой книге... Не нужно было бы тащиться за разрядниками, не нужно было разрезать их на половины...

— Что там у вас? — спросил он у племянников.— Удалось что-нибудь обнаружить?

— Кое-что попалось. Нечто интересное я, по-моему, уже нашел...— задумчиво отозвался Фелим.

— Что там у тебя?

— Сейчас, покажу,— сказал ассистент и почтительно подошел к своему авторитетному дяде.

Пальцы Фелима аккуратно сжимали пучки какой-то шерсти.

— Если бы мне сказали на научной конференции, что эти пыльные волосы принадлежат человеку, я рассмеялся бы докладчику в лицо,— пояснил он, передавая находку.— Там все просто усеяно ими... В моем углу валяется немало таких...

— Может, щетка для пыли?

— Непохоже, здесь капельки крови, они выдраны с корнем...

Симеон взял у него несколько отдельных жгутиков и внимательно рассмотрел их.

— Жесткие, упругие... очень эластичные... — с недоумением протянул он.— Что-то совсем непохоже на мохнатое покрытие пауков... Но и не человеческие...

— Да, наши потомки с покрытием такого рода жили на этой планете миллионы лет назад...

— Нужно говорить "на нашей планете",— машинально поправил его Симеон и снова впился взглядом в обрывки шерсти.— Прах меня побери, если я знаю, кому это принадлежит...

К их беседе присоединился и Бойд, тоже заинтересовавшийся необычными уликами.

— Похоже на шерсть дикого кабана,— авторитетно определил он.— Без всяких сомнений: серый лесной кабан!

В ответ раздался язвительный смех. Даже суровый Симеон, забыв о трагической ситуации, из-за которой они пришли в этот дом, расхохотался во весь голос. Утирая слезы кончиком рукава своей знаменитой походной туники, он полюбопытствовал:

— Как же ты себе представляешь произошедшее? Мы с твоим братом определили, что шерсть, выдранная в больших количествах и валяющаяся на полу в крайней комнате, служит доказательством вспыхнувшей здесь когда-то схватки...

Скрестив руки на груди, Фелим сверлил саркастическим взглядом своего старшего брата. Между ними с детства полыхало соперничество, никто не хотел уступать лидерство, поэтому интеллектуальные баталии не прекращались практически ни на один день.

— Ты хочешь сказать, что дикие кабаны забрался зимой в дом бедняги Шиллиха и напали на обитателей, сожрав всех без остатка? — сладким, нарочито невинным тоном спросил Фелим.

— Ну, я такого не заявлял, как ты помнишь,— пошел на попятную Бойд.

Он продолжал рассматривать шерсть и неожиданно предположил:

— Почему бы это не могла быть крыса?

Словно ожидая его очередного научного ляпсуса, Фелим опять с готовностью рассмеялся.

— Почему бы не кролик? — сквозь смех предложил он.— Для кролика эта шубка будет в самый раз, ведь он...

— Тихо! А ну-ка захлопни свой ехидный клюв, пересмешник! — вдруг громогласно оборвал его Симеон.— Здесь не место для такого веселья!..

От обиды улыбка сползла с губ Фелима. Он уже приготовился оскорбиться, но тут внезапно в комнату влетел раскрасневшийся от волнения Марбус и выпалил прямо с порога:

— Доктор, примите мои извинения... но я не хотел подводить друга! Я ничего не говорил, все ждал, пока он сам возвратится...

— О чем ты? — сдвинул седые брови Симеон.— Ничего не понимаю в этой ахинее...

— Гастурт обнаружил подземный ход и спустился туда,— возбужденно объяснял охранник.— Но сейчас мне показалось, что он зовет на помощь!

— Что же ты сразу не сказал, черепаший череп! — взревел доктор.— Скорее туда!

Они свалились всей кучей в земляной колодец, звучно стукаясь лбами при падении. Но боли никто не замечал потому, что вдалеке глухо послышался крик о помощи.

Запалив на ходу креозотовые факела, вчетвером они ринулись на голос. Ноги их скользили на ступенях, покрытых вековой слизью и плесенью. Губы жадно хватали влажный зловонный воздух, смердящий сырой землей, невероятными испарениями и тем самым запахом, который пропитывал весь дом Шиллиха до самой мелкой доски.

В свете факелов они увидели впереди какие-то неясные тени, метавшиеся в центре продолговатой платформы. Оттуда доносились звуки яростной схватки,— брань, стоны, тяжелое хриплое дыхание...

Не оставалось сомнения, что Гастурт борется с каким-то достаточно крупными зверями, по размерам напоминающими крупных, массивных собак.

Увидев влетевших людей, эти подземные существа оторопели. На мгновение они застыли, словно прикидывая свои силы, а потом развернулись и стремительно ринулись прочь, исчезая в темноте и оставляя на скользком каменном полу недвижное тело телохранителя Найла.

Даже в полумраке, в мечущемся свете факельных языков было видно, что он тяжело ранен. Рядом с телом растекались темные пятна, он истекал кровью и пятна с каждым мгновением увеличивались в размерах...

— О, проклятие! Он мертв...— вскричал Марбус, размахивая своим клинком.

В отчаянии он рванулся в погоню, но тщетно. Хищники моментально растворились во мраке, и парню пришлось быстро вернуться.

От отчаяния плечи его тряслись. Он почти рыдал и судорожно повторял:

— Мой друг погиб... погиб... Почему я не пошел с ним вместе? Почему! Никогда себе не прощу...

Симеон, наклонившись над Гастуртом, проверил его пульс и громко оборвал:

— Закрой рот, трещалка! Он дышит... Гастурт жив!

— Жив? — не помня себя от радости, переспросил Марбус.— Я понесу его на руках... я потащу его до ворот Дворца!

В этот момент окровавленный охранник зашевелился, словно заслышав человеческую речь.

10 Зак. 3230

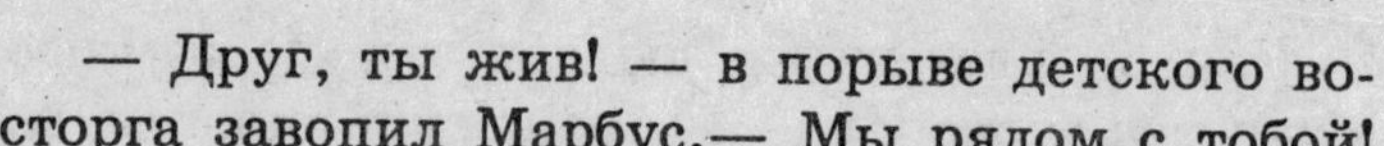

— Друг, ты жив! — в порыве детского восторга завопил Марбус.— Мы рядом с тобой!

— Крысы... это были огромные крысы...— едва смог пробормотать Гастурт изменяющим, деревенеющим во рту языком, и тут же голова его безвольно упала на грудь.

ГЛАВА ДВАДЦАТЬ ТРЕТЬЯ

В измученной голове Найла теснились смутные мысли, и он пытался свести их в единый порядок, чтобы все они находились в своеобразной гармонии.

Он старался сделать такое ментальное усилие, чтобы хаотично блуждавшие мысленные образы зацепились друг за друга, чтобы они скрестились, образовав многомерные связи и создали бы в его сознании новую структуру, внутренне взаимосвязанную со всех сторон, как искусственно выращенный кристалл.

На первых порах ход его рассуждений развивался нелогично и довольно сумбурно. Мозги сначала плавали, словно вареные плоды кактуса опунции в ароматной похлебке, которую частенько готовила старенькая мать и которую он так любил. А потом в голове стал выстраиваться какой-то порядок.

За последнее время в жизни Найла, как в судьбе многих сотен горожан, произошло столько событий, что даже трудно было выхватить что-то основное из этого беспорядочного кома, нараставшего не только с каждым прожитым днем,— с каждым прожитым часом.

Постепенно, шаг за шагом, используя ментальный рефлектор и координирую мыслительные колебания мозга с сердечными импульсами, ему все же удавалось отсекать в сознании массу ненужных сведений и впечатлений последнего времени. Медальон помогал отбрасывать от себя лишнее, чтобы энергетическим пучком концентрироваться на самом главном.

А самым важным за последнее время Найл считал даже не землетрясение, погубившее столько мирных жителей, а невероятную находку Хуссу, таинственный лабиринт, в который случайно проник паук-пустынник...

Без этого открытия в Белой башне не зашел бы разговор со Стиигом о кровожадных подземных обитателях.

Без этого не возникла бы гипотеза о мутировавших крысах, стремящихся установить господство над Городом.

Неужели почтенный старец был прав, всетаки искусственный разум никогда не ошибался...

Найл размышлял об этом на заседании Совета Свободных, слушая унылую болтовню руководителей своих комитетов, отчитывающихся о том, как именно они своими героическими действиями спасали городских жителей после землетрясения.

Во время одного из таких бесцветных отчетов он поднялся со своего места и подошел к огромному окну, полностью занимавшему одну из четырех стен просторного продолговатого зала, в котором по традиции проходили полные собрания Совета.

Перед ним открылась замечательная панорама лежащего внизу города, разделенного надвое широкой лентой реки, свинцовой и потемневшей от непогоды.

Во все стороны глубокими ущельями расходились улицы и проспекты, застроенные многоэтажными зданиями и вливавшиеся в круглые площади-долины, засаженные зеленью деревьев.

Среди них вздымались ввысь, как горные утесы, серые столпы небоскребов, между которыми колыхались, раскачиваясь на жестоком ветру исполинские сети паутины.

Смертоносцы не переносили воды, поэтому все гигантские пауки спрятались в свои логовища, предчувствуя приближение бурного ливня.

Хмурая серая мгла, нависшая над головой не предвещала ничего хорошего. О чем-то монотонно докладывал руководитель комитета Совета Свободных, отвечавшего за питание пострадавших от землетрясения. Но его голос не достигал сознания Найла, находившегося в этот момент далеко отсюда.

Всей душой он сожалел, что не мог отправиться вместе с Симеоном в те окраинные до-

ма, которые принадлежали пропавшим горожанам.

Найл не сомневался, что старый доктор обязательно должен был раскопать там какие-то новые сведения и с нетерпением ждал возвращения небольшого отряда.

Между тем, дело шло к сильной грозе. Темные тучи наплывали на город сплошными широкими полосами, закрывая все пространство нагромождениями черных зловещих клубов.

Мрачные набухшие влагой облака напоминали, скорее, жирный масляный дым гигантского пожарища, разгоревшегося где-то неподалеку.

Тучи столкнулись, завертелись в сплошном вихре и намертво сцепились, точно от их жестокой схватки полностью зависела судьба небесных армий.

Ужасной силы гром возвестил о начале грозы и молнии брызнули в разные стороны раскаленными изогнутыми лезвиями. Сплошной стеной водных струй хлынул дождь, и внутренний голос со всей отчетливостью сообщил Найлу о неминуемой близости какой-то решительной схватки, в которой он должен был играть ведущую роль.

Заседание Совета продолжалось, как и прежде, но мысленно Найл был уже в будущем. Он обдумывал план решительных действий, не обращая внимания на вялые споры, обволакивавшие его со всех сторон.

Гроза закончилась и яркое солнце выглянуло, обманчиво озаряя ослепительными лучами все вокруг.

Не в силах усидеть на своем месте, Найл рывком поднялся с кресла и снова подошел к огромному окну.

Вскоре взгляд его приковала группа людей, торопившихся по направлению к зданию Главы Совета Свободных.

С высоты невозможно было рассмотреть все в деталях, каким бы острым зрением не отличался Найл. Но его цепкие глаза издалека выхватили буйную седую шевелюру, которая, без сомнения, могла принадлежать только одному человеку во всем мире.

Потом Найл сверху увидел, что его люди несут кого-то на носилках. Без сомнения, кто-то из отряда был тяжело ранен!

Он порывисто обернулся к длинному столу и решительно заявил:

— Прошу прощения, друзья! Но случилось непредвиденное событие, требующее моего присутствия и дальнейшее заседание вам придется продолжать без меня...

— Но как же мы можем... без Главы Совета Свободных? — раздался за его спиной возмущенный голос.

Члены Совета нерешительно загудели, предлагая поставить этот вопрос на голосование. Только Найл уже не слышал продолжения непонятной дискуссии, он стремительно летел вниз, чтобы поскорее встретить Симеона.

* * *

Доктор остался с Гастуртом, получившим тяжелые ранения. Находящемуся без чувств парню предстояло пройти интенсивное лечение дельтийским шувидом, а Фелим и Бойд вызвались продолжить осмотр оставшихся одноэтажных домов. Под охраной доброго десятка отборных дворцовых стражников они отправились снова на далекие окраины и вернулись только под вечер, когда уже почти стемнело.

Как казалось молодым ученым, они принесли ошеломляющие известия, хотя Найл в глубине души с самого начала уже предчувствовал нечто подобное.

Пока этот отряд ходил на розыски во второй раз, во Дворце появились Биллдо и Вайг, уже наслышанные о чрезвычайном происшествии.

Все собрались в небольшом дворцовом помещении, уставленном жесткой, причудливо изогнутой мебелью, изготовленная из корней древней пальмы.

Уставшим с дороги людям по приказу Найла собрали поздний ужин,— холодную рыбу, свежих лепешек, подводных мясистых грибов, да пару глиняных кувшинов легкого кактусового вина для утоления жажды и поддержания боевых сил.

Пока не подоспел Симеон, никто не начинал. Но когда доктор вместе с Джелло появился в комнате, их первым делом засыпали вопросами о здоровье Гастурта.

— Успокойтесь, успокойтесь...— сурово отмахнулся врач.— Раны он, конечно, получил нешуточные, но, похоже, что зубы этих смердящих тварей не содержат яда. Следов заражения нет... Значит, экстракт шувида обязательно поможет и вместе с отварами из шакальей травы поставит его на ноги.

Джелло сжал огромные кулаки и сурово добавил, обращаясь куда-то к окну:

— Это случится даже быстрее, чем вы думаете... Твари, вы скоро заплатите за все! Прах и пепел... Пусть мои руки отсохнут, если они не оторвут в скором времени сотни этих поганых голов!

Единственным человеком, не принимавшим участие в общей оживленной беседе, оказался Марбус. Молодой парнишка сгорал от стыда и стыдливо прятал глаза не только от грозного взгляда своего начальника, но и от всех других. Сердце Найла даже порой сжималось от жалости к своему телохранителю, казнившему себя за то, что он не смог вовремя прийти на выручку к своему другу.

Первое возбуждение, вызванное встречей, прошло, и Найл приказал всем занять места на непритязательных скамьях и сиденьях-табуретах, изготовленных из толстенной колоды древнего платана.

— Друзья, вы можете подкрепиться, а мы внимательно выслушаем вас,— обратился

Найл, прежде всего, к Фелиму и Бойду.— Если кто-то хочет подзаправиться, не стесняйтесь, провизии в кухне хватит на всех...

— Мы обошли оставшиеся шестнадцать домов, в которых пропали люди.— устало доложил Фелим, поспешно проглотив ломтик холодной рыбы.— Еще раз обследовали все хижины...

— Надеюсь, под землю больше никто не додумался прыгать в одиночку? — недовольно перебил его Джелло.

Было видно, что начальник охраны злится на своего воспитанника, так опрометчиво сунувшегося в самое пекло.

— На этот раз мы решили немного отдохнуть и набраться сил...— язвительно отозвался Фелим.— Везде, во всех этих домах нас интересовало только покрытие пола. И в каждом доме мы обнаружили тайный выход под землю...

— Крысы заранее намечали жилища,— вмешался Бойд, которому тоже не терпелось показать свою осведомленность.— Потом твари бесшумно делали подкопы, вскрывали доски пола и глухой ночью, когда все жители крепко засыпали, стремительно появлялись из-под земли!

— Никто не мог оказать сопротивление! Крысы утаскивали жителей под землю, а соседи даже ничего не слышали! — гневно перебил его брат, успевший быстро проглотить изрядный кусок лепешки.— Никто из нас не смог бы ничего предпринять в такой ситуации! Каждый из нас погиб бы!

— Полегче, полегче, малыш! — буркнул Джелло из угла.— Не нужно бросаться пустыми словами...

На столе перед Найлом лежала подробная, полномасштабная карта Города, на которой, при желании можно было рассмотреть каждый переулок, каждый город мегаполиса. Возвратившись из Белой башни, он сразу нанес на нее схему древней подземки. Действовал он по памяти, но мнемоническая подготовка, которую он прошел за последние годы, позволяла ему запоминать огромные блоки самой сложной информации. Так что восстановить на бумаге красочную схему, представленную ему Стигмастером, не составило для него особого труда. Эта операция на заняла у него даже много времени.

Рядом с этим листом лежала та самая схема Симеона, на которой красными крестами обозначались роковые дома, в которых крысы успели осуществить подкопы.

— Давайте сравнивать...— задумчиво протянул он.— Меня больше всего интересует две вещи. Нужно постараться ответить на два вопроса: где у них находится центр стаи, где логовище вожаков, и как нам кратчайшим путем пробраться в депо?

В центр комнаты неожиданно вышел старина Доггинз. Судя по его виду, его просто распирало от какой-то важной мысли.

— Хочешь что-то предложить нам, дружище? — поднял Найл глаза от своей карты.

Все притихли, потому что каждое выступление бывшего подрывника приносило присутствующим массу удовольствия. Говорил он мало, но всегда выражался с невероятной энергией, порой взламывающей весь ход беседы. Все это время он тихо сидел и, казалось, не собирался участвовать в обсуждении. Но, оказывается, терпение его давно было на пределе и он уже рвался в бой.

— У тебя появился план? — спросил Найл.

— Конечно! Как же без этого... Меня лично волнует только один вопрос,— впервые за этот вечер в комнате раздался хрипловатый мужественный голос Биллдо.— Меня интересует лишь одна вещь: когда мы снова возьмем в руки "жнецы"? Если мы снова возьмем у восьмилапых тварей наши разрядники, достаточно будет всего лишь пары дней, чтобы мы вместе с Джелло расчистили все подземелье от тварей.

— Ты хочешь сказать, что не нужно никакого плана? Нужно просто забраться внутрь и поливать там все подряд из расщепителей?

— Конечно! Мы вдвоем сделаем это так чисто, что на следующий день в лабиринт можно будет пускать маленьких детей, чтобы они резвились там и играли в прятки!

ГЛАВА ДВАДЦАТЬ ЧЕТВЕРТАЯ

До самой поздней ночи шла эвакуация жителей одноэтажных кварталов. Найл созвал экстренное заседание Совета Свободных и приказал всем членам комитетов срочно переселять в центральные районы горожан из многочисленных хибар, расположенных на окраинах.

Рисковать больше было нельзя. Никто не мог сказать, сколько уже было подготовлено тайных подкопов, и Найл решился на чрезвычайную меру,— в целях безопасности он велел временно переместить тысячи горожан в безопасные места.

Ничего не понимающих жителей будили и именем Главы Совета Свободных приказывали запереть жилища, чтобы отправиться на ночлег в одно из общественных зданий.

Несколько часов длинные колонны тянулись вдоль проспектов по направлению к центру.

Слышны были и возмущенные вопли, но большинство жителей понимали, что если

правитель Города пошел на такую экстраординарную меру, у него были на то все основания!

Мало кто хотел рисковать собственной жизнью. Даже те, кто громко и картинно негодовал, не оставались в потемневших районах, а продвигались вместе с остальными, не забывая крыть Главу последними словами.

Когда суета улеглась, взбудораженный Город начал успокаиваться, и запруженные народом улицы опустели, на Главном проспекте показался небольшой отряд, отправившийся в путь из ворот Дворца Главы Совета Свободных. Они задержались у ворот, словно вспоминая что-то, и устремились во мрак широким размашистым шагом.

Каждый, кто случайно увидел бы в этот момент членов отряда, сразу определил бы, что все семь человек нацелены на решительную схватку.

Тяжелые “жнецы”, висящие на прочных кожаных ремнях, оттягивали крепкие плечи, непокорные головы были надежно защищены боевыми капюшонами защитного цвета, да вдобавок у каждого имелась особая плотная повязка из паучьего шелка, пропитанная особым душистым составом.

Успевший побывать в подземелье Симеон убедился в тяжком воздействии чудовищного зловония, которое источали гигантские твари. Доктор предложил использовать аромат дельтийской кувшинки, чтобы никому из членов отряда не помешали плотный смрад и жуткие миазмы, до предела заполнявшие безбрежные просторы катакомб.

Найл вместе со своими спутниками держал путь к восточной окраине Города. Именно там, по его расчетам, основанным на компьютерной карте Стиига, располагалось самое вместительное депо.

По обе стороны проспекта темнели уступы многоэтажных зданий, погруженные в полную тьму.

Прикинув заранее самый короткий маршрут, он энергично шагал впереди, углубившись в свои мысли, предчувствуя, что вскоре не останется ни одной лишней секунды на размышление.

Впереди их ждал настоящий бой, а не простая демонстрация возможностей человека. Противника нужно было уничтожить полностью и огневой мощи “жнецов” для этого вполне хватало. Важно было только обнаружить их логовища, погубить все гнезда.

Под влиянием чудодейственных препаратов Симеона поздно вечером Гастурт немного пришел в себя.

Хотя он был еще совсем слаб и почти не мог говорить, Найл все-таки смог пообщаться со своим перевязанным, ослабевшим охранником. Контактировал он на ментальном уровне, присев у изголовья его кровати.

Мысленным лучом Найл скользнул в клокочущее сознание Гастурта, чтобы считать напрямую информацию о произошедшем в подземелье и, одновременно, помочь парню, постараться изнутри воздействовать на его мозг терапевтическими успокаивающими волнами.

Связаться с ним оказалось очень непросто. Злобное телепатическое воздействие крыс, которое пережил молодой парень, не прошло бесследно и разрушило многие привычные построения его рассудка.

Обычно структура сознания каждого человека, с которым контактировал Найл, напоминала ему многоэтажное здание, но только не прямоугольной, а кристаллической формы.

Внутри такой фигуры располагались многочисленные помещения, соединенные между собой хитроумными переходами и тянущимися сверху донизу между различными этажами-ярусами.

Конечно, каждое такое здание, разработанное самым мудрым архитектором,— длительной эволюцией, имело секретную планировку. Образно представляя, Найл, перемещаясь по чужому человеческому сознанию, из одной комнаты попадал одновременно в четыре других, расположенных на разных уровнях.

Без опыта и умения тут нечего было и делать...

Неискушенный новичок, даже чудом забравшийся в сознание незнакомого ему человека, мог бы скорее умереть, прежде чем выбраться из бесконечных коридоров памяти, серпантином вьющихся внутри необъятного кристалла. Он навсегда был бы прикован к человеку, в мозгах которого он так легкомысленно собирался пошарить.

Под влиянием активного ментального воздействия, которому Гастурт подвергся в лабиринте, его сознание на время изменило свою конфигурацию.

До этого кристалл его имел ясную, стройную, хотя и достаточно незамысловатую, простецкую форму, но теперь превратился в бесформенный пульсирующий комок, в сплошное месиво полыхающей ненависти, которым так трудно было управлять.

Тем не менее, Найлу удалось послать в его мозг сильный умиротворяющий импульс, позволивший сдерживать порыв до такой степени, что парень смог собраться и мысленно восстановить всю картину, которую безмолвно считывал с его сознания сидевший рядом Найл.

Больше всего поражали даже не размеры гигантских крыс, а их телепатические способности. Гастурт признавался перед самим собой, что только каким-то чудом устоял перед ментальной атакой трех подземных тварей. Лежа на больничной койке, почти в бессознательном состоянии он четко передал: если бы он дрогнул через мгновение и не смог сконцентрировать волю перед агрессией, хищницы подмяли бы надломленную психику и потом уже без всякого сопротивления растерзали безвольное тело.

Это настораживало...

Непостижимым образом крысы после Великой Зимы, в борьбе за выживание научились концентрировать свою волю. Причем, если опираться на информацию Гастурта, это яростное племя стояло почти на пороге того открытия, которое совершили много лет назад пауки-смертоносцы, овладевши способностью подавлять человеческую волю парализующими импульсами страха!

Крысы действовали не хаотично, они демонстрировали высокую степень организации, не хуже чем у муравьев, пчел и термитов. Убийства людей и пауков наводили на мысль о существовании определенного плана, направленного на разжигание войны между горожанами и смертоносцами. Дикие, хищные и опасные, гигантские крысы, похоже, научились не только находить между собой общий язык, но и каким-то образом планировать будущее.

Похоже, Стииг оказался прав, вздыхал про себя Найл, и придется иметь дело с какой-то развитой социальной структурой.

Если крысы действовали по определенному сценарию, значит, они подчинялись некоему центру. Но где он мог располагаться? Как его вычислить?

По опыту своего народа он знал, что смертоносцы не сразу поработили людей. Долгие годы шла кровавая борьба, а потом черные пауки все-таки проникли в тайны человеческой сущности. Неужели и другой биологический вид приблизился к подобной разгадке...

Быстрые шаги участников карательного отряда едва слышно раздавались на ночных улицах.

Приближались окраины, многоэтажные дома сменялись более низкими, хотя до скопища одноэтажных лачуг простолюдинов оставалось еще порядочно.

Вспыхнул газовый фонарь Вайга и острый луч света выхватил из темноты фрагмент старого приземистого здания с облупленным фасадом, покрытым сетью древних трещин. Специально для сегодняшнего вечера умный Фелим придумал приспособить фонари самого маленького размера прямо поверх стволов разрядников.

— Все хорошо, только как же мы будем ходить в подземелье? Если в одной руке у кого-то будет светильник, другой рукой он уже не сможет удержать "жнец"...— задумчиво протянул он, когда лазерные расщепители появились во Дворце.

Даже Найл об этом тогда не задумывался. В отличии от Фелима, уже побывавшего внутри лабиринта, он представлял себе катакомбы только на основании зрительных образов Хуссу, переданных пустынником в его мозг на расстоянии.

Но в тот вечер он ориентировался на особенности зрения пауки и не особенно задумывался, каково будет под землей вооруженным лю-

дям, причем вооруженным не какими-нибудь столовыми ножами, а тяжеленными разрядниками, которые без упора не так просто удерживать и обеими-то руками.

Инженерная мысль Фелима работала не хуже, чем медицинская и его оснащенный мозг довольно скоро нашел технический выход. Не первый год Найл присматривался к племяннику Симеона и в глубине души считал, что того ждет большое будущее. Все знания давались Фелиму легко, его сознание отличалось удивительной маневренностью, и если бы он еще упорно работал над развитием своих телепатических способностей, личность его вышла бы на новый, еще более высокий уровень организации.

* * *

Яркие созвездия пунктирными ожерельями мерцали на ночном весеннем небосводе. Казалось, весь мир объят сном и все же он чувствовал, как где-то там, под землей нервно бурлит и клокочет зловещая враждебная сила.

С каждым шагом напряжение ощутимо нарастало.

Дрожь возбуждения от близости предстоящей схватки ощущали все члены отряда. Но это нельзя было ни в коем случае назвать трусостью, каждой клеткой тела владело возбужденное предчувствие,— из истории Найл знал, что в древности так дрожали породистые скаковые лошади перед скачками.

Несмотря на бесстрастные выражения лиц, Джелло и Билдо, похоже, находились в прекрасном настроении. Тяжесть разрядника придавала каждому из них несокрушимую уверенность и сбрасывала с возраста по доброму десятку прожитых лет.

Повернув направо, небольшой отряд осторожно пересек широкий проспект и оказался рядом с узким жерлом заброшенного электромобильного тоннеля, чернеющего бесформенным пятном в бетонной стене старого, покрытой древними трещинами, высокого виадука.

* * *

Судя по плану, представленному колоссальной компьютерной памятью Капсулы времени, именно здесь, в глубине земли, с древних времен таились поезда старинного метрополитена.

Они обязательно должны были разыскать хотя бы один действующий локомотив, иначе миссия была бы бессмысленна, ведь без техники такого рода обнаружить центральное логово крыс было невозможно.

Слишком хорошо Найл запомнил слова всезнающего седовласого старца из Белой башни:

“Если бы ты захотел пройти пешком по всем подземным дорогам метрополитена, тебе не хватило бы и целой недели для этого, причем даже если бы ты шагал без остановки днем и ночью...”

Если прибавить к этому еще и эффект темноты, получалось, что он со своим отрядом мог бы провести не один месяц в этих катакомбах, разыскивая кровожадных гигантских тварей.

Некоторое время они стояли у горловины входа, не решаясь сразу ринуться во мрак неизвестности. Найл дал негромкую команду обождать и стал прислушиваться к своим ментальным ощущениям.

Медальон был развернут активной стороной. Хотя из-за этого и приходилось выносить определенные страдания, связанные с напором концентрированной энергии,— в такие мгновения сознание оставалось как бы обнажено, подставлено напору внешних потоков,— но зато он вполне мог ориентироваться в окружающей обстановке, улавливая сгустки посторонней энергии, излучавшиеся из темнеющего прохода с полукруглыми сводами.

Только после того, как Найл убедился в относительной слабости отрицательного воздействия, отряд двинулся и углубился внутрь.

Длинный тоннель протягивался почти на километр. Он разветвлялся на длинные рукава и раскидывался на множество неожиданных изгибов. Лучи фонарей, жестко прикрепленных к разрядникам, выхватывали из тьмы древние надписи и круглые эмблемы, на которых были изображены знаки электромобильного движения, особый язык древности, утерянный после Великой Зимы.

Все члены отряда Найла с интересом рассматривали знаки. Некоторые из них регулировали направление движения, некоторые ограничивали скорость.

Тысячу лет назад здесь кипела жизнь. Сверкали яркие фары электромобилей, мягко рычали мощные моторы и обтекаемые силуэты кабин проносились в разные стороны тоннеля.

Сейчас здесь было царство тишины и мрака.

Система проездов была достаточна запутана и регулировалась только малопонятными символами древних указателей, но Найл следовал точно по компьютерной инструкции и безошибочно вывел своих людей в тупик, в глухой коридор, который заканчивался мощной металлической дверью.

Он высветил узкую щель замка и поманил пальцем брата, едва слышно прошептав:

— Теперь твоя очередь, дружище...

Вайг понимающе кивнул, скинул с плеча увесистый разрядник и также негромко попросил:

— Мне нужен свет... вставайте по обе стороны...

Два желтоватых пятна от лучей фонарей скрестились на горловине запорного устройства, и Вайг уже был готов приступить, как за спиной Найла раздался негромкий, но негодующий голос Биллдо:

— Зачем нам терять время! Можно обойтись и без этого нудного колдовства...

— Какой способ ты предлагаешь, старина?

— Предлагаю поставить ограничитель на “единичку”...

— Что?

Вместо ответа Доггинз хмыкнул и попросил всех отойти от неприступной двери.

Фиолетовый луч “жнеца” с едва заметным тонким шипением впился в крепкий металл. Казалось, что на дверь это совершенно не действует и Биллдо очертил сверкающим жалом аккуратный прямоугольник, окаймляющий массивный замок.

— Кажется, готово...

Тыльной стороной разрядника он коротко ткнул в скважину.

Прошло еще несколько мгновений, и входная дверь словно раскололась на две неравные части. Большая пока осталась на месте, как и прежде, а маленькая вывалилась, с глухим грохотом упав внутрь.

В соответствии с планом, выученным наизусть, он повернул направо и отряд очутился перед новой дверью, по надежности ничуть не уступавшей внешней.

— Дайте мне теперь попробовать свои способности! — просипел Джелло.— Мне тоже в детстве хотелось стать взломщиком...

— Хорошо, только теперь нужно быть начеку,— кивнул Найл, едва заметно морщась от боли, пронзавшей затылок изнутри.

Ментальный рефлектор все явственней улавливал враждебную эманацию, проникавшую из-за двери. Найл мог бы повернуть медальон тыльной стороной, укрыв свое сознание от плотного потока, но тогда он лишился бы возможности мгновенной координации скрытых резервов.

Так уж устроен мир, давно убедился он, что все взаимосвязано, и за все нужно когда-то расплачиваться.

Ощущение исходящей со всех сторон угрозы усиливалось не только у него, но и у всех остальных, поэтому Вайг и Биллдо на всякий случай взяли под прицел дверь, которую начальник дворцовой охраны тщательно взрезал светящимся жгутом.

В отличии от своего друга подрывника он решил не мельчить, не ограничиваться только областью замка, а решил разобраться со всей створкой.

Со ствола его разрядника сорвался тонкий изумрудный луч, наполнивший тесное помещение концентрированным запахом ультрафиолета.

Бесшумный разряд вонзился острием точно по центру в верхнюю кромку двери и пополз вниз, но не строго вертикально, а описывая ломаные линии, изогнутые кривые.

Странный узор продолжал светиться на поверхности еще несколько мгновений даже после того, как жерло разрядника вобрало в себя фосфоресцирующий луч.

Входная дверь постояла немного неподвижно и внезапно, даже без постороннего воздействия, раскололась надвое причудливым зигзагом.

Из обнажившегося черного проема, как раскаленный зловонный ветер, на них пахнула волна ненависти.

Найл сразу почувствовал это, внутри мгновенно пробежал неприятный холодок, точно в животе начался сквозняк, но он первым пересек порог и сошел в подвальное помещение уверенным шагом человека, никогда не сомневающегося в своих силах.

Следом за ним, выставив вперед пасти “жнецов”, в необъятную искусственную пещеру спустился весь небольшой отряд. Лучи газовых фонарей, прикрепленных к корпусам разрядников, пронизывали мрак светлыми спицами и выхватывали из темноты древние влажные стены, покрытые обширными разводами и слоями какой-то слизи.

Под рифленым потолком проходил переходный коридор, соединяющий горизонтальную шахту с основным стволом подземного депо.

Воздух здесь, несомненно, присутствовал, но только теоретически.

Никто бы не мог со всей определенностью заявить, что внутри царила полная духота, но если бы не защитные повязки, сконструированные Симеоном перед походом, у большинства сразу голова пошла бы кругом от своеобразной газовой атаки, ведь после первого же шага все почувствовали, что смрад ударил по ноздрям, как кулак.

В глазах зарябило от обилия проходов, разбегающихся в разные стороны, но Найл четко, даже не задумываясь, направился впереди своих людей в самый крайний, черневший на левом повороте. Скоро коридор стал сужаться, превратившись в узкую невысокую трубу с полукруглыми сводами. В нижней части виднелись какие-то продолговатые ниши, забранные кружевами вентиляционных решеток, а по потолку бежали пучки старых лохматых проводов.

Делать было нечего, между узкими стенками проходил только один человек, и для того чтобы продвигаться, им пришлось вытянуться в длинную цепочку.

В гнетущей, уплотнившейся тишине слух различал только осторожные шорохи складок одежды, да тяжелое напряженное дыхание, доносившееся из-под масок-повязок.

Из-за тесноты горизонтальной шахты каждый двигался словно поодиночке, и ощущение сплоченности, спаянности боевого отряда внезапно исчезло.

От этого Найл чувствовал себя не очень уютно.

Перед его настороженным взглядом простиралась лишь темнота неизвестности, а в затылок упирался луч света, вырывавшийся со “жнеца” Джелло, следовавшего сзади на расстоянии нескольких шагов.

Случись что впереди, начальник охраны не сразу смог бы помочь, прорвавшись из-за его спины. В такой ситуации можно было рассчитывать только на свои силы. Походило на длинную темную ловушку...

Но он не мог ошибиться и знал, что по плану другого такого направления нет. Так что, несмотря на опасения, продолжал мерить пространство тихими, но напряженными и уверенными шагами. Душистая повязка не только спасала от зловония, но и придавала сил, отгоняла от сознания ненужные мрачные впечатления.

Проход закончился и уперся в очередную металлическую дверь. Фонарь Найла высветил область замка и на этот раз он сам, чтобы не задерживать спутников, лучом своего "жнеца" освободил толстую створку от запора.

Он проник внутрь и оказался на просторной платформе.

Схема не подвела, и расчет оказался абсолютно верным: в колоссальной полости искусственной пещеры повсюду из мрака выступали серебристые цилиндрические тела поездов древнего метрополитена.

Вокруг стояла абсолютная тишина и лучи фонарей не находили ничего подозрительного. Только Найл не очень доверял этому обманчивому покою.

Золотой медальон, висевший у него на груди, словно нагрелся, и кожа ощущала неприятное жжение. Ментальный рефлектор впивался в тело, как будто был сделан из раскаленного металла, и голова Найла наполнялась потоками угрожающего глухого шума, напоминающего яростные рулады зимнего ветра, воющего в каминных трубах Дворца.

Крысы находились рядом, они притаились где-то совсем близко и, без сомнения, прекрасно видели сейчас отряд.

Найл, по описаниям Гастурта, хорошо представлял себе этих смердящих тварей и ясно мог вообразить их продолговатые морды, мощные челюсти, лишенные губ, прижатые к черепу уши и красноватые треугольные, выпученные глаза.

Действительно, если десятки поколений хищниц провели свою жизнь под землей, их зрение должно быть идеально приспособлено к этой обстановке. Найлу даже казалось, что он ощущает на себе взгляды, прожигающие людей откуда-то из темноты свирепой ненавистью.

— Двигаемся вперед,— сказал Найл.— Нужно прорываться к одному из этих локомотивов. Дальше все будет немного проще. Теперь идем таким порядком: я впереди, за мной трое, и еще трое прикрывают с тыла.

Они начали перестраиваться на платформе и внезапно под гулкими сводами раздался беспокойный голос Джелло, глухо спросившего:

— Где Марбус? Марбус, куда ты отошел?

Лучи фонарей скрестились и несколько секунд судорожно ощупывали пространство, исполосовав мрак узкими лезвиями света.

— Где ты, непослушный медвежонок? — рявкнул начальник охраны.— Я оторву тебе уши за такие проделки!

Все остановились и замерли, прислушиваясь. Но вокруг по-прежнему стояла полная тишина. Марбус не отзывался на крики. Парня нигде не было видно...

Фонарь Найла случайно ударил в лицо Фелима. Из-под защитной маски выглядывали ошеломленные глаза, и было хорошо заметно, как от ужаса зрачки его расширились.

— Марбус шел последним в узком коридоре...— нервно крикнул молодой врач.— Точно помню, что он шел за мной! Все время светил фонарем мне в голову!

— Как ты это мог определить?

— Как, как... я не мог голову повернуть без того, чтобы он не шарахнул мне светом в глаза...

— А потом...— нервно спросил Джелло.— Потом он куда пошел?

— Не знаю...— растерянно признался Фелим.— Мы остановились, когда Найл взламывал дверь, и Марбус...

Племянник Симеона лихорадочно скоблил пальцем покрытый испариной лоб, точно это помогало ему вспомнить все.

— Он... он... погасил свою лампу... с тех пор я его не видел...

— Неужели ты не слышал ничего?

— Нет... клянусь, все время я считал, что он идет за мной...

Джелло сорвал с себя маску, от души плюнул и громко закричал, не обращая внимания на осторожность:

— Марбус! Марбус, эй, отзовись, где же ты?

Ответа не было. Его громовой голос, способный перекрыть шум сильнейшей грозы, только раздробился эхом, разлетевшись во все углы под сводами искусственной пещеры.

Он ринулся в проем коридора, из которого только что появился отряд, и через мгновение из каменной трубы раздался яростный вопль, напоминающий рев взбешенного медведя.

Все одновременно кинулись в тесный проход, толкаясь и мешая друг другу.

— Он пропал! Где он? — орал Джелло оттуда, удаляясь вглубь коридора.— Марбус исчез!

Сердце, как бешеное, забилось в гортани Найла. Отчаянно не хватало воздуха, и он тоже сорвал с лица защитную повязку.

— Прах меня побери...— хрипло рычал Джелло, скрежеща зубами.— Если с моим мальчиком что-то случилось, я убью их всех! Я не выйду отсюда, пока не сожгу дотла последнюю падаль!

Все рассыпались вдоль по проходу, словно это как-то могло помочь в поисках, а настороженный взгляд Найла упал на пол. Он не сразу понял, что зацепило его внимание, но потом заметил, что одна из ниш, тянущихся вдоль длинного коридора, зияла открытым прямоугольником.

Все другие уходящие вдаль отверстия закрывали кружевные металлические решетки, а именно эта, расположенная неподалеку от двери, стояла открытой.

Ниша сразу ныряла куда-то вниз. Раньше, судя по всему, это отверстие служило частью вентиляционной системы.

Ему пришлось нагнуться, чтобы просунуть туда раструб фонаря. Луч света проник туда и Найл, облизывая пересохшие губы, увидел на бетонном полу какой-то продолговатый металлический предмет.

Без сомнений, внизу, на расстоянии метров трех, лежал “жнец”. Но не только это заставило его напрячься, на стволе расщепителя Найл заметил какие-то странные наросты и судорожно прохрипел, оглянувшись назад:

— Дайте света! Света сюда побольше!

Когда подбежавший Биллдо протолкнул свой зажженный фонарь в нишу и направил его вниз, сердце Найла наполнилось ледяной дрожью: в ярком свете он увидел на расщепителе... окровавленные, полуобглоданные человеческие руки...

Скрюченные кровоточащие пальцы судорожно, мертвой хваткой сжимали основательное ложе лазерного разрядника.

Даже перед мучительной смертью Марбус не расстался со своим оружием. Крысы смогли вырвать у него “жнец”, только перекусив запястья молодого парня...

ГЛАВА ДВАДЦАТЬ ПЯТАЯ

Локомотив, стоящий в депо древнего метрополитена представлял собой продолговатый цилиндр с заостренным приплюснутым носом, метра три в диаметре и около двадцати в длину.

Серебристый корпус, словно отлитый единой каплей из молибденовой стали, все еще сверкал зеркальным блеском в лучах шести газовых фонарей, несмотря на то, что эту подземную каравеллу спустили со стапелей больше тысячи лет назад, в далеком двадцать втором веке.

Найл уже видел изображение такого поезда в Белой башне, когда Стииг объяснял ему о подземке, а вот взгляды всех остальных изумленно шарили по безупречным бокам локомотива, стоящего среди облупленных стен, как безупречно ограненный бриллиант, искрящийся в куче гнилого мусора.

В сплошном глухом корпусе никто не мог обнаружить ни одного окна. Мощный транспорт напоминал огромную зеркальную трубу,

11 Зак. 3230

положенную каким-то неведомым великаном на подземные рельсы, уходящие в безбрежную темноту.

Для того, чтобы приблизиться к махине, нужно было миновать совершенно открытое пространство, отделенное от платформы широкой щелью. Этот глубокий зазор и беспокоил Найла больше всего.

— Ждите меня здесь, посреди платформы! И хорошенько светите, не выпускайте меня из вида! — отрывисто приказал он, передавая свой “жнец” Джелло.— Я пойду первым и открою люк! Ждите моего сигнала!

После гибели Марбуса все до сих пор находились в шоке. Пятеро оставшихся сомкнулись кругом, спина к спине и настороженно выставили в стороны стволы разрядников, снятых с ограничителей.

Расстояние между платформой и локомотивом Найл, на всякий случай, одолел бегом. Он бежал, оглядываясь по сторонам, а потом в несколько упругих прыжков с разбега бросил тренированное тело через зияющий внизу темный провал, с грохотом приземлившись на стальные скобы трапа. Яркий свет фонарей, светивших на него сзади, отражался от зеркального корпуса, даже слепил глаза, но взгляд Найла сразу выхватил овальное утолщение, виднеющееся на безупречной поверхности.

Стоило положить на пластину руку, как она, как крышка с мелодичным звоном отъехала в сторону, открыв небольшой темный экранчик, окруженный десятком выпуклых кнопок.

Компьютерный код замков всех подземных поездов сообщил седовласый Стииг, и воспроизвести несложную комбинацию цифр не представляло никакого труда.

В двадцать втором веке этим ключом пользовались все работники метрополитена, поэтому он создавался намеренно удобным для запоминания.

Вспыхнул индикатор с красными пульсирующими цифрами, и входной люк локомотива открылся так бесшумно, что даже не было слышно скрежета пришедшего в действие замкового механизма.

Тут же прямоугольник стремительно подался внутрь и буквально втянул внутрь проема Найла, который от неожиданности не успел отцепиться от мощной ручки.

Внутри кабины сразу вспыхнул мягкий свет, а из динамика раздался громкий, мелодичный, но безжизненный компьютерный голос:

“Добро пожаловать! Давно не виделись. Не выспался? Работа есть работа...”

Электронный мозг приветствовал гостей стандартными фразами абсолютно точно так же, как и тысячу лет назад.

Но эти мирные, доброжелательные фразы резким диссонансом полоснули по ушам, вежливые слова пришли откуда-то из совершенно другой жизни и ужасно не соответствовали этой ситуации, не обещающей хорошего продолжения.

Через мгновение лицо Найла снова возникло на пороге.

— Готово! Быстро сюда! Только осторожно! — взволнованно скомандовал он изумленным спутникам и отряд послушно двинулся с места.

Кровь Найла нервными толчками пульсировала, лихорадочно циркулируя по жилам. Он постоянно внутренне сопротивлялся агрессии, чувствуя гнет телепатического пресса. Зловещий разум был повсюду, его дыхание заполняла все вокруг, каждый темный угол, каждый сырой проход, хотя до сих пор люди не видели ни одной крысы.

Смерть Марбуса, ужасная и молниеносная, показала, насколько опасен враг. Хищники находились на своей территории, а люди только осваивались тут.

Кровожадные твари прекрасно ориентировались в окружающей обстановке, и Найла не оставляло впечатление, что все они подчиняются какому-то единому центру, отслеживая людей и передавая куда-то ментальные сигналы.

Отряд приблизился к локомотиву, осторожно двигаясь по полосе мягкого света, падавшего из открытого люка на платформу. Все также ощущали на себе действие неумолимо сжимавшихся тисков.

Душный влажный воздух, насыщенный невыносимыми миазмами, туманил глаза и затруднял дыхание.

Они подошли к открытой двери и стали по очереди запрыгивать внутрь. Вайг, Доггинз, Фелим и Бойд успешно миновали это глубокое препятствие, а Джелло...

Все произошло так стремительно, что Найл, отвлекшийся на мгновение, не успел даже перевести дыхание. Начальник дворцовой охраны держал два увесистых разрядника, свой и Главы Совета Свободных. Руки его были заняты, да и фигура несколько грузновата для быстрого прыжка с таким грузом в руках, поэтому он решил сначала передать “жнецы” внутрь, а потом забраться на ступени трапа налегке.

— Эй, приятель, возьми-ка у меня стволы! — негромко крикнул он Бойду.

Племянник Симеона наклонился со ступеней трапа, принял за приклад сначала один и передал Фелиму. Потом снова обернулся, взял другой “жнец” и понес его вглубь, освобождая место в проходе, как внезапно краем глаза он увидел, что лицо Джелло перекосила мучительная гримаса.

— Проклятие! — с натугой взревел тот.— Тут твари!

Его голос смешался с омерзительным визгом, шумом короткой схватки и грохотом падающего тела. На глазах потрясенного, не успевшего ничего сообразить Бойда, голова

Джелло запрокинулась назад, и он, как подкошенный, со сдавленным криком рухнул на платформу.

Если бы Бойд оказался более расторопен и сразу вскинул бы ствол разрядника, оказавшегося у него в руках, может быть, начальника охраны еще и удалось бы спасти. Но парень замешкался и от волнения не сразу смог снять дрожащими пальцами рычажок ограничителя.

Когда Бойд спрыгнул сверху из кабины на платформу, массивное тело Джелло уже исчезло внизу.

Бойд не сразу смог врубить и газовый фонарь, укрепленный рядом с прицелом, а когда луч света ударил под брюхо поезда, было уже поздно.

Старого бойца, видимо, потерявшего сознание от первого мощного удара головой о платформу, стащили на рельсы и в полной темноте поволокли за ноги.

От ужаса Бойд закричал и чуть не выронил из рук такой мощный, но оказавшийся таким бесполезным разрядник.

— Что делать? — застонал он, обращаясь к друзьям.— Что делать?

Когда Найл, выпрыгнув вместе со всеми из люка, резко нагнулся и взглянул под днище локомотива, ему тоже захотелось завыть.

В желтом пятне газового фонаря внизу, на рельсах, отчетливо виднелась широкая кровавая полоса, указывавшая путь, по которому людоеды утащили одного из самых преданных его друзей.

— Что же вы стоите? — хрипло кричал Биллдо, беснуясь в приступе бессильного гнева.— Бегите за ними! Бегите! Стреляйте, идиоты! Делайте хоть что-нибудь!

Фиолетовой молнией полыхнул разряд его “жнеца”. Доггинз стрелял наугад и сумел только разрезать на половины, со снопами золотистых искр, два металлических колеса локомотива, стоявшего в стороне.

Но крысам это никакого вреда не принесло.

Где-то вдалеке, за силуэтами поездов, виднеющихся в беспробудном мраке, послышался едва уловимый шорох. Острое зрение Найла, бесстрашно спрыгнувшего вниз, на рельсы в расщепителем в руках, еще успело уловить движение каких то крупных черных теней. Но, пока он прицелился, крысы растворились во темноте, утаскивая с собой окровавленное тело бывшего начальника его дворцовой охраны...

ГЛАВА ДВАДЦАТЬ ШЕСТАЯ

В подавленном, ошеломленном состоянии они вернулись внутрь локомотива и крепко заперли за собой дверь.

Оказавшись внутри кабины, Найл первым делом развернул золотистый медальон пассивной стороной.

Силы его были на пределе, и он не мог уже воспринимать струящиеся отовсюду потоки отрицательной энергии.

Под защитой надежных стальных стен локомотива он мог не отслеживать интенсивность враждебных импульсов, поэтому мозг сразу отозвался расслабленным, рассудительным спокойствием.

“Будешь включать мотор? Пора! Работа есть работа...” — тут же напомнил о себе механический голос, льющийся из динамиков, спрятанных где-то за мягкой обшивкой, так, что невозможно было определить его источник.

Казалось, что этот голос разлит в воздухе и присутствует в каждом дюйме пространства.

— Пока подожди! — бросил Найл, обращаясь куда-то к панели управления пилота и голос отозвался:

“Хорошо. Напомню позже. Работа есть работа...”

Все, не сговариваясь, поставили свои разрядники невысокой пирамидкой в центре просторной кабины, словно сухие дрова в костре, который еще нужно разжечь. Но “жнецы” бросались каждому в глаза, как безмолвный укор.

Полукруглая крыша и выпуклые боковые панели кабины, сделанные из какого-то легкого материала, были полностью закрыты для постороннего глаза снаружи. Но окон они не могли обнаружить и изнутри.

Стоило Найлу только опуститься в массивное кожаное кресло пилота, как безжизненный голос снова напомнил о себе:

“Включить кондиционер?”

— Да! — на этот раз положительно отозвался он.

“Какой аромат хочешь сегодня?”

— Какой аромат? — переспросил Найл, не сообразив сразу.

“Агава. Жасмин. Хризантема. Тамариск. Перечная мята. Хвойный лес. Магнолия. Яблоко....” — электронный мозг начал методично перечислять все имеющиеся у него варианты.

— Достаточно! Хватит! Остановись...— поморщился Найл и вскоре сообразил, что таким образом выбрал свой вкус.

Через мгновение воздух был наполнен густым, насыщенным ароматом спелых яблок. Все не могли отделаться от навязчивого ощущения, что находятся среди огромного, заваленного плодами яблоневого сада, хотя еще совсем недавно на платформе задыхались от жуткого зловония.

Все дело в особом атмосферном режиме, понял Найл. Система компьютерных кондиционеров локомотива очищала подземный загрязненный воздух от тошнотворного смрада и по заданной химической формуле насыщала его яблочным вкусом.

Он, как никто другой, мог бы рассказать о различных запахах, легко синтезируемых компьютером Белой башни в зависимости от разных виртуальных ситуаций. Если он оказывался в компьютерной оранжерее, моделирующей буйную растительность, там воздух насыщался влажным перегноем и ароматами самых экзотических цветов, а если уж искусственный интеллект переносил его в старинный зал с камином, то там чудесно пахло дымком и печеным на углях свежим мясом.

Но вот друзья его впервые встречались с такой техникой и явно были ошеломлены.

Первое время никто не мог вымолвить и слова от изумления и от чудовищного шока, пережитого совсем недавно.

В кабине повисла гнетущая тишина, мужчины старательно избегали смотреть друг на друга.

Бойд опустился на краешек кожаного кресла и сидел, наглухо закрыв лицо ладонями. Фелим присел на скамью и уставился в какую-то невидимую точку пространства, а Вайг подавленно опустил голову.

Биллдо никак не мог смириться с потерей своего старинного приятеля. Лицо его оставалось невозмутимым, но было видно как его трясет. Плечи его ходили ходуном, мясистые губы заметно подрагивали, а глаза полыхали смесью ненависти и чувства пронзительной утраты.

— Итак, мы еще ничего не смогли предпринять, а крысы действуют. Нас уцелело только пять...— прервал молчание Найл, тяжело дыша и обводя взглядом своих оставшихся спутников.

— Ты хочешь сказать: “Кто следующий?” — глухо откликнулся Биллдо.— Мы все виноваты в этих двух смертях! Марбуса и Джелло можно было спасти, если бы кое-кто действовал расторопно!

Его гневный взгляд уперся в Фелима и Бойда. От этого они нервно поежились и замерли на своих сидениях.

Найлу не понравился этот выпад Доггинза, и он строго сдвинул брови:

— Хочешь сказать, что братьев мы должны винить в этих несчастьях?

— Фелим шел впереди парнишки и не услышал, как тому обгрызают руки...— нервно напомнил подрывник.— А Бойд... Ты можешь мне ответить на один вопрос... Зачем ты взял его с собой?

— Запрещаю тебе говорить со мной в таком тоне,— одернул его Найл.

Не случайно, все-таки, он десять лет занимал место Главы Совета Свободных и руководил большим Городом.

В нужной ситуации в его характере пробуждалась властность, и тогда голос сам собой начинал звенеть металлом.

— Если мы начнем ссориться и выяснять отношения, мы все погибнем! — продолжил Найл.— Сейчас мы должны решить, что делать?

— Какие у тебя есть варианты? — подал голос Вайг, приютившийся в углу.— Что ты можешь предложить?

Найл устало провел ладонью по лбу. С самого начала все складывалось не так, как хотелось бы. Что же произошло?

В эти мгновения у него несколько раз промелькнула мысль о том, что они недооценили своего противника. Причем очень сильно его недооценили.

— Вариантов у меня насчитывается ровно два,— признался он.— Но, может быть, кто-то из вас предложит и еще? Тогда мы выслушаем его и спокойно обсудим. Только я буду говорить первым... Согласны?

— Согласны...— нестройным хором отозвались они.

Четыре понурые головы закачались в подтверждение, и Найл продолжил:

— Первый вариант заключается в том, что мы аккуратно закрываем этот локомотив, проходим обратно по узкой трубе, поднимаемся наверх и выходим на поверхность. В Городе еще никто не проснулся, и никто не увидит, как мы возвращаемся по проспекту...

— Ты хочешь сказать: как кучка трусливых кроликов с позором идет обратно, отстирывать туники, загаженные от страха? — язвительно вскинулся Доггинз.

Долгий пристальный взгляд Главы Совета Свободных заставил его закрыть рот и скрипнуть зубами.

Биллдо скрестил руки на груди и независимо процедил:

— Молчу, молчу...

— Такого я не говорил... Заметь, дружище, это сказал ты! — взгляд Найла назидательно нацелился на старого друга.— Я предлагаю варианты, а вы вольны выбирать любой из них. Итак, вариант номер один: исходя из того, что мы недооценили страшные способности этих тварей, мы с великой осторожностью возвращаемся обратно и приходим сюда вновь, но с подкреплением...

Узловатый палец Биллдо вскинулся вверх.

— Прошу слова!

— Пожалуйста...

— Кого ты считаешь в этом Городе подкреплением? Ответь мне...

— Мы не одни живем здесь. Есть дворцовая охрана, есть бойцы...

— Да, и есть члены комитетов Совета Свободных! — язвительно захохотал Биллдо.— Наверное, ты хочешь притащить сюда своих болтунов? Ты хочешь устроить здесь заседание Совета, чтобы твои толстозадые трепачи рассказали этим вонючим тварям, какие они плохие и как нехорошо пожирать людей... То-то будет комедия!..

— Хорошо, ты сказал, что хотел,— еще раз повысил голос Найл.— Теперь моя очередь. Остался вариант номер два: мы остаемся здесь до тех пор, пока не освобождаем Город от опасности, пока не уничтожаем всех крыс. Или пока...

Он прервал себя, но друзья его прекрасно поняли.

— Пока все мы не погибнем? Так ты хотел сказать, братишка? — прервал молчание Вайг и тут же добавил: — Мне лично по душе второй вариант. Хотя давайте голосовать, я готов подчиниться мнению большинства...

— Будем голосовать? — уточнил Найл.

Фелим и Бойд быстро переглянулись, обменялись понимающими взглядами и старший брат усмехнулся:

— К чему устраивать театр? Мы все друзья, и никто не оставит друга в такое мгновение. Конечно, мы остаемся!

— Тогда нам следует, прежде всего, поближе познакомиться с нашим новым другом,— решил Найл и тут же пояснил, увидев недоуменное выражение на лице Биллдо.— Это я о компьютере! Чтобы дальше двигаться, нужно изучить работу нашего локомотива! Если мы хотим тронуться с места и все-таки разыскать логово тварей, нужно понять, как этой штуковиной управлять!

Фелим и Бойд, жадные до всего нового, тут же придвинулись поближе к месту пилота, которое занимал Найл.

Прямо по центру перед ним темнела консоль, напоминающая компьютерную клавиатуру, только изготовленную в виде полусферы. Крупные круглые кнопки-клавиши светились изнутри и изгибались двумя параллельными полукольцами панели, по форме напоминающей гигантскую подкову.

— Как управлять, как управлять...— ворчливо повторил Доггинз.— Ты не сможешь сдвинуться с места! Тут же вообще ничего не видно! В этой зеркальной бочке нет ни единого окна...

— Действительно, как тут ориентироваться? — поддержал его Вайг.— Мы сидим взаперти и даже не представляем себе, что вытворяют крысы снаружи. Как ты себе представляешь наше перемещение?

Сразу Найл не мог дать ответа, но он чувствовал, что разгадка должна быть проста. Компьютер Белой башни приучил его к тому, что у него можно безгранично долго спрашивать совета. Поэтому Найл в задумчивости взглянул на непонятную клавиатуру и решил взять урок в недрах местного электронного мозга.

— Ты слышишь меня? — обратился он прямо к клавиатуре.

Молчание.

До этого компьютер локомотива первый обращался к нему, поэтому трудно было определить, как вызывать его на связь.

— Я хочу ехать! — требовательно бросил он вверх, обращаясь к полукруглому своду потолка.

Молчание.

— Тоже мне... советчик...— с досадой беззвучно плюнул он и издевательски передразнил: — Работа есть работа...

Оказалось, что эти слова служат своеобразным паролем, включающим механического собеседника.

"Будешь включать мотор? Пора! Работа есть работа..." — тут же проснулся голос, изливающийся неизвестно откуда.

— Нужен обзор. Ничего не видим,— короткими фразами, в тон компьютеру сказал Найл.

"Синий ряд. Левая сторона. Кнопки "мониторы". Один. Два. Три. Четыре. Пять. Шесть." — отбарабанил голос.

Палец Найла прикоснулся к синей клавише под номером один, и внезапно прямо перед

Большая стая подземных хищников налетела на Найла, Доггинза и Вайга, явно стараясь отсечь их группу от локомотива и оттеснив в темную часть вестибюля.

— Сме-ерть! — взревел Биллдо.— За Марбуса! За Джелло! Сме-ерть тварям!

Они с Вайгом вскинули расщепители и открыли огонь.

Сразу две фиолетовые молнии бесшумно сверкнули, вонзаясь в самую гущу надвигающихся крыс. Лазерные разряды обернулись диким визгом, напоминающим оглушительный скрежет металла о стекло.

Во все стороны полетели дымящиеся ошметки плоти. Передние ряды уже перестали существовать, но задние еще напирали, сохраняя силу инерции и стараясь прорваться поближе.

Сделав пружинистый шаг и разворачиваясь на месте, Найл развернулся спиной к друзьям, прикрывая их с тыла. Краем глаза он заметил, как между задними колоннами тоже появились стремительно рванувшиеся тени.

Жерло его “жнеца” едва заметно вздрогнуло и выплюнуло струю чистейшего раскаленного света. Не отпуская спусковой крючок, он неторопливо, сдерживая себя, провел смертоносной струей справа налево, с омерзительным шипением разрезая на части волосатые головы и туши.

С яростной атакой они покончили меньше, чем за полминуты.

Оставшаяся часть стаи отступила во тьму быстро, словно морская волна во время отлива. Последние разряды еще достигали убегавших, поражая их в спины, но основная масса укрылась так же стремительно, как и появилась.

Снова на станции воцарилась тишина, в которой было только отчетливо слышно, как шипят и потрескивают тлеющие останки.

— Неплохое начало...— сдавленно просипел Доггинз, поглубже натягивая повязку.— Если бы Джелло сейчас видел...

— Хорошо, чтобы это было концом... но мне кажется, что до конца еще очень далеко,— Найл, зажимая лицо ладонями.

Все они едва могли дышать. Едкий дым заполнял легкие, заставляя содрогаться в пароксизмах кашля.

Судя по всему, пока они отбивались в вестибюле, “жнецы” Фелима и Бойда тоже не лежали без дела, а беспрестанно исторгали охапки фосфоресцирующих жгутов. Пространство на платформе около локомотива усеивали расчлененные и обугленные туши гигантских тварей.

Племянники Симеона едва держались на ногах. Лица их светились бледностью, на коже выступила испарина. Но глаза у обоих светились торжеством,— каждый из них ощущал свою вину за смерть Джелло и Марбуса, поэтому они должны были доказать, что в сердцах их живет борцовский дух.

Все забрались в кабину серебристой каравеллы и рухнули в кресла.

Несмотря на быстротечность, схватка отняла у каждого немало душевных сил. В такие мгновения от человека требуется полная отдача, все внутренние резервы мобилизуются и после этого на тело невольно опускается пелена расслабленности.

Первым делом Найл включил кондиционер, выбрав хвойные ароматы, с разных сторон подул ласковый мягкий ветерок, и всего через мгновение кабина наполнилась чудесными горьковатыми запахами пиний и араукарий.

— Представляете, сколько бед они могли бы наделать в Городе? — сказал Найл, повернувшись к монитору и окидывая взглядом бесформенные остатки, загромоздившие платформу.

— Это еще не все! — прорычал Доггинз.— Заводи мотор! У нас будет такой же улов на следующей станции! Потом рванем на другую и дальше, дальше, дальше! Не выйду отсюда до тех пор, пока по туннелям будет гулять хотя бы одна мерзавка!

— Трогай! Давай вперед! — нетерпеливо торопил его и Вайг.— Старина Биллдо прав, мы должны выжечь все дотла!

Через мгновение их лица вытянулись, потому что Найл сурово и решительно сказал:

— Нет, пока мы не тронемся с места! Не нужно радоваться первым успехам... Все гораздо хуже, чем вы предполагаете!

— О чем ты? — изумленно спросил Биллдо.

— Не все тут можно решить силой оружия, не в каждой ситуации нам помогут “жнецы”. Не исключено, что все-таки повернем обратно и поднимемся наверх...

Доггинз чуть не задохнулся от возмущения. Глаза его расширились и он закричал:

— Ты с ума сошел? Как ты можешь говорить такое? Ты, Правитель Города...

Но гневные слова не долетали до слуха Главы Совета Свободных. Нервные крики проходили мимо его ушей, точно были частью ароматного ветерка, исторгавшегося из решеток кондиционера. Найл прикрыл веки и откинул затылок на мягкую подушку кресла и словно оставил на время себя.

Глухой звон, наполнивший каждый угол рассудка, заставил его точно отсоединиться от своего земного организма. Собрав все силы, он постарался сконцентрироваться и как будто вылететь из себя, выпорхнуть из собственного тела, как птица.

Во время стычки на станции он почувствовал, что неумолимо близится момент решающей схватки и понял, что должен посоветоваться с Высшими силами...

ГЛАВА ДВАДЦАТЬ СЕДЬМАЯ

Размеры бедствия, вызванного мутацией серых крыс, потрясали Найла. Он ожидал встретить большое количество этих тварей, но все равно был ошеломлен напором злобной и жестокой силы, брызжущей из каждого квадратного дюйма зловонной темноты.

В памяти все время всплывала гипотеза Стиига о том, что мутировавшие крысы могли рассчитывать на господство во всем Городе. Сначала Найл отнесся к этому с легкомысленным любопытством, но сейчас видел, что седовласый аватар не ошибался.

Всем своим существом, каждой клеточкой мозга Найл ощущал в подземелье присутствие невероятной внутренней организации, невероятно коварной и жестокой структуры.

Анализируя действия хищников, он приходил к выводу, что ими руководит некий центр, некий таинственный разум, считающий себя властителем не только огромного лабиринта, но и всех городских просторов, лежащих вовне.

С помощью медальона он пытался мысленно отыскать эту силу в дебрях мрачных катакомб и несколько раз ему удалось соприкоснуться с ее сущностью. Таинственная сила Зла не уходила от его ментального луча. Напротив, некий невероятно жестокий мозг сам стремился к нему, пытаясь оплести щупальцами своей несгибаемой воли. Найл скрывал от своих спутников и не хотел говорить им, что в это время он чувствовал себя очень неуверенно и неуютно, в эти мгновения он холодел и первым выходил из телепатического контакта.

“Не выбрать ли нам вариант номер один, чтобы вернуться пока домой...— подумал он после последней такой встречи.— Если я возьму ответственность на себя и напомню о полномочиях Главы Совета Свободных, даже Доггинз будет вынужден согласиться. Фелим и Бойд не посмеют возражать, а Вайга я сумею убедить, что нужно возвращаться обратно, на городские улицы.“

Никто и никогда не посмел бы назвать его жалким трусом. Несмотря на свою молодость, он уже столько сделал для всех жителей Города, что некоторые особенно рьяные члены Совета Свободных уже не раз предлагали установить ему памятник как герою-освободителю.

Найлу приходилось тратить безумное количество драгоценной энергии, чтобы отбиваться от подобного заскорузлого идиотизма. Но это повторялось несколько раз и было сразу после того, как эти же подхалимы единогласно решили увековечить имя его отца Улфа, погибшего в Северном Хайбаде, у родной пещеры, и перезахоронить останки в мраморном мавзолее.

Обвинения в малодушии он не боялся. Речь шла о другом, он все время думал о стратегии и мысленно был немного впереди, чем все остальные члены отряда.

Смерть его не страшила, но он задавал себе вопрос: “Что будет с Городом, если Правитель и все друзья Главы Совета Свободных не вернутся?”

Джелло погиб. Вайг и Доггинз находились рядом с ним. Наверху оставался только Симеон, которого они не взяли из-за возраста. Но седовласый доктор не смог бы подчинить своей воле Совет, и Город оказался бы без единой власти.

Если темная сила, выползающая из катакомб, поглотила бы его сегодня, мало кто в Городе смог бы ей противостоять. И тогда...

Слишком хорошо Найл уже видел, как волна крыс может объединяться в сгусток кипящей, неистовой, клокочущей ненависти. Перед такой атакой мало кто устоит без его помощи...

Друзья ждали, сурово и выжидательно пронзая взглядами сидящего в кресле Найла и даже не подозревали, что в этот момент его нет рядом с ними. Сознание Главы Совета Свободных описывало пульсирующие круги, все увеличивающиеся в размерах и распространялось во все стороны.

Сначала его взор поднялся над кабиной серебристого локомотива и увидел сверху фигуры пятерых мужчин в туниках защитного цвета...

Потом перед глазами возник зеркальный цилиндр каравеллы... Он уменьшался в размерах, потом превратился в тонкую иголку и растворился в небытии, а взгляду Найла предстал его Город на рассвете, разделенный надвое извивающейся лентой реки, сверкающей в рассветных лучах...

Сперва он видел панораму улиц и площадей так, как будто находился на крыше самого высокого небоскреба, потом оттолкнулся от твердой поверхности и начал плавно парить, то поднимаясь, то опускаясь на незримых потоках...

Город постепенно уменьшался в размерах и исчезал за клубами туманных облаков, стелющихся над тихими безмолвными просторами, а сознание Найла двигалось все дальше и дальше, пока он не понял, что воздушные потоки бережно несут его в сторону бескрайнего леса, произрастающего вокруг Нуады, вокруг огромного холмообразного тела Богини Великой Дельты...

Розовый солнечный диск уже начал подниматься на нежную небесную лазурь, перед его взглядом показались клубы изумрудных сполохов,— миллионы пышных влажных от росы крон деревьев, вздымающихся вокруг Властительницы Реки Жизни...

Он плавно спускался и мысленно очутился на упругом зеленом ложе, на том месте, которое Богиня всегда даровала ему при встрече. На расстоянии вытянутой руки нависал мясистый стебель-антенна малахитового цвета с одним крупным листом овальной формы,— именно благодаря ему Нуада общалась не только с людьми и пауками-смертоносцами, но и со своими четырьмя "сестрами", разбросанными по всему земному шару.

Найл видел это так, словно действительно прилетел в здешние влажные леса и воочию удостоился аудиенции божественного растения-владыки...

Голова его наполнилась хрустальными созвучиями, и он почувствовал, как невидимые пальцы Богини точно читают его измученное сознание, развертывают его, как пергаментный свиток.

Почти физически он ощущал, как все его опасения и тревоги фиксируются неземным разумом, переходят в колоссальные резервы инопланетной памяти, и взамен он получает огромное количество энергии.

Богиня Великой Дельты насыщала его силой, и сознание Найла впитывало невероятную жизненную энергию, как пещеристое тело, как губка...

Он воспарил и стремительно возвращался обратно. На этот раз у него не было ощущения, что воздушные потоки несут его усталое тело.

Теперь он летел в вихре, который был создан его собственной энергией и преодолел обратный путь преодолел значительно быстрее.

Он парил над облаками. Под ним простиралось безбрежное море белоснежных клубов. Поднимавшееся все выше солнце разливалось золотом в мягких ямках облачной зыби и вскоре он стал быстро опускаться, чтобы, прорезав эту обволакивающую преграду, снова увидеть под собой Город.

Сквозь землю его сознание прошло стремительно, перед внутренним взором блеснул зеркальный корпус локомотива и через мгновение ему удалось вернуться в себя, на скорости втиснуться в собственное тело, как в узкий сапог. На какое-то мгновение ему показалось, что из великого леса Дельты он попал в другой, но хвойный лес, засаженный пиниями и араукариями.

Тут же память подсказала, что это всего-навсего ароматы кондиционера. Значит, он вернулся, и Биллдо мог ликовать.

Теперь вся сущность Найла, все его внутренние силы были нацелен на сражение и только на победу!

ГЛАВА ДВАДЦАТЬ ВОСЬМАЯ

Найл ушел в себя и отключился, не обращая внимания на своих друзей.

Пользуясь этим, Фелим и Бойд придвинулись с обеих сторон к панели управления бортовым компьютером локомотива и начали более подробно изучать схему расположения клавиш.

— Как ты считаешь, можно включить голос подсказчика? — спросил Фелим.

— Думаю, не стоит...— опасливо покачал головой Бойд, бросив уважительный взгляд на неподвижно сидящего Найла.

— Как ты считаешь, сколько времени займет путь из одного конца линии в другой? — спросил Бойд из глубины своего ложа, расположенного чуть позади пилотского кресла Найла.

— Не должно быть долго... навигационная кривая позаботится о курсе, чтобы нам не пришлось блуждать в неизвестности.

Братья полностью доверяли Найлу и подчинялись решению Главы Совета Свободных. Поэтому они решили ждать его возвращения и обменивались мнениями о компьютере, переговариваясь вполголоса между собой.

Доггинз, напротив, почти задыхался от возмущения. Он кипятился и ругался, пытаясь найти выход для своей взрывной энергии, но тщетно. Найл даже не собирался его слушать. Он просто откинулся на спинку кресла, безмятежно закрыл глаза и даже как будто заснул!

— Нет, как вам это понравится! — не унимался Биллдо.— Мы вошли сюда с одним только намерением,— задавить этих тварей! Мы взламывали двери, спускались вниз, задыхались от страшной вони, мы терпели все... Наконец, мы уже потеряли Джелло и Марбуса! Прах и пепел! Клянусь своим волосатым брюхом, я не переживу такого позора!

Он снова впился взглядом в своего друга, неподвижно сидящего на кресле, потом посмотрел на Вайга в поисках сочувствия и вспомнил слова Найла, особенно обидевшие его.

Доггинз вскочил со своего места, вышел на центр кабины и повторил с дразнящей интонацией, подражая манере речи Главы Совета Свободных:

— “Не в каждой ситуации нам помогут “жнецы”... Не исключено, что все-таки повернем обратно и поднимемся наверх...” Нет, как вам только это понравится! Не помогут “жнецы”! Да когда это они не помогали...

Его нервные слова не находили ни у кого отклика, но старый подрывник все равно не унимался:

— Сейчас он сладко поспит и прикажет нам отправляться обратно! Не переживу такого позора...

От досады Доггинз смачно сплюнул, и из глубины его крепкой груди послышалось глухое рычание.

В напряженные минуты, когда нужно было успокоиться, Вайг перебирал свой амулет, тугое ожерелье из крупных, величиной с добрую виноградину, черных жемчужин. Маслянистые жемчужины скользили между его пальцев, струились бесконечным смоляным потоком и все его внимание в этот момент было устремлено на них, точно там можно было отыскать решение.

Его тоже задели слова Найла, но он прекрасно знал своего брата и чувствовал, что тот сейчас вышел в астральное состояние. Бесполезно сейчас было что-то говорить, спорить, рассуждать...

Вайг и сам обладал незаурядными телепатическими способностями, как и брат, только не стал планомерно над ними работать, не стал их постоянно развивать.

А в детстве казалось, что он гораздо талантливее, чем Найл. Не случайно, что именно Вайг сумел найти общий язык даже с такой грозной бестией, как оса-пепсис! Все родные ахнули, когда ему удалось приручить свирепую осу. Размеров она была нешуточных, длиной эдак с половину руки, и могла хорошенько потрепать любого человека.

Но Вайг взял ее личинкой и так выдрессировал, что оса не только не нападала на людей, как раньше, а даже помогала охотиться в пустыне! По мысленной команде эта красавица стремительно взмывала с руки Вайга и в воздухе кидалась на добычу,— сколько разной вкусной дичи съели его родные благодаря его телепатической сноровке, и не сосчитать!

Найл провел потом подобный эксперимент с пауком-пустынником, яйцо которого нашел в пожарище, вырастил, воспитал и назвал Хуссу. И этот опыт не был бы удачен, если бы не та, ранняя история с осой.

Хотя Вайг не стал развивать свои телепатические способности с такой интенсивностью, как младший брат, он прекрасно чувствовал те моменты, когда Найл выходил в трансцендентное состояние.

Поэтому он и не стал поддерживать возмущавшегося Биллдо, так как знал, что самое мудрое в этой ситуации — ждать.

Действительно, вскоре его брат шевельнулся. По телу его пробежала молниеносная судорога, он встрепенулся и внезапно вскочил с кресла.

Фелим и Бойд сразу прекратили свою тихую беседу у компьютера, удивленно вскинув глаза на Найла. Вайг пристально уставился на него, и даже Доггинз, нервно меривший шагами кабину каравеллы, остановился. Его крупное лицо вытянулось от изумления, когда он увидел своего друга.

— Что с тобой? — вымолвил Доггинз.— Прах меня побери... Давно я не видел тебя таким?

— Что ты имеешь в виду? — отозвался Найл.— Почему вы все так уставились на меня?

— Посмотри на себя, братишка,— посоветовал Вайг.— Тогда сам все поймешь...

Найл нашел зеркало, приютившееся в углу и встряхнул головой, не поверив своему отражению.

Густые волосы его были не то, чтобы всклокоченные, они стояли дыбом, хотя все это время он спокойно сидел на месте. Глаза сверкали и словно брызгали охапками золотистых искр, а на лице багровело огромное пятно странной овальной формы, напомнившее ему о стебле-антенне Богини Дельты.

Пятно стало стремительно бледнеть, он рассасывалось с каждым мгновением и волосы его стали внезапно оседать, принимать нормальный, естественный вид.

Энергия перешла внутрь него. Она взвинтила кровь ошеломительным драйвом, ускорила все процессы сознания, и торжествующие хрустальные перезвоны ворвались в каждую клетку его мозга.

— Вперед! Что вы замерли! — крикнул он своим друзьям.— За дело!

— Прах меня побери! — восхищенно охнул Доггинз.— Дружище, как я был неправ!

* * *

Мощно взревел мотор, набирая холостые обороты, но серебристая каравелла пока оставалась на прежнем месте. Найл занял свое центральное место у консоли подземного пилота, а все остальные распределились за его спиной, пристально уставясь в окна-мониторы.

Сперва он бросил взгляд на шестой экран, отвечающий за навигацию. Палец Найла приблизился к сенсорной клавиатуре и медленно, едва заметно пополз по ней прочерчивая будущий маршрут.

Завороженные исходящей от него внутренней энергией, Фелим и Бойд смотрели на него с обеих сторон, разинув рты от изумления. Они не могли прийти в себя потому, что глаза Найла в этот момент были крепко закрыты, а на лбу его выступила испарина от огромного напряжения.

Если бы кто-то спросил его в этот момент, откуда он знает, как именно нужно программировать будущий путь, он ни за что не смог бы ответить на этот вопрос. Более того, если бы на следующий день кто-нибудь поинтересовался, помнит ли он эту последовательность, Найл ничего бы с собой не смог сделать, он не смог бы восстановить в памяти эти важные действия.

Их и не было у него в тот момент. Голова его по-прежнему была наполнена перезвоном хрустальных диссонирующих колокольчиков и, повинуясь этой неумолчной звуковой массе, он определял маршрут.

Не он двигал рукой по круглому экрану—иллюминатору. Его кистью по сенсорной клавиатуре вела высшая сила, вливавшаяся в сознание тугим энергетическим потоком.

— Все...— прошептал он, когда палец достиг конечной точки.

Открыв глаза, он тряхнул головой и несколько раз моргнул, словно впервые увидел перед собой монитор, на котором только что прочертил навигационную кривую: прихотливый зигзаг, пульсирующие алые точки на изумрудном фоне.

— Фелим... ты кажется хотел осваивать компьютер? — едва заметно усмехнулся Найл.

— Конечно! — с готовностью ответил молодой ученый.

— Тогда отыщи на консоли кнопку “сохранить” и нажми ее! Только не промахнись, второй раз я уже не смогу прочертить нужный маршрут.

От такого пугающего предупреждения, казалось, задрожал даже палец Фелима, когда он утапливал нужную клавишу, подтверждая правильность введения навигационной траектории.

13 Зак. 3230

Зигзаг на круглом мониторе перестал пульсировать, теперь он превратился в сплошную черту, горевшую еще ярче, чем прежде.

— Может быть, ты объяснишь нам, что значит эта самая линия? — поинтересовался Доггинз.— Куда мы еще должны тащиться, когда вокруг полчища этих тварей! Ты не ошибся?

Старый вояка уже взял в руки свой разрядник и даже снял рычаг предохранителя. Энергия, брызжущая от Найла, уверила его в том, что буквально через мгновение они должны были выскочить на платформу с оружием в руках и снова поливать смертоносными молниями стаи крыс.

Вместо этого оказалось, что им нужно куда-то ехать. Причем, судя по длине изломанной красной линии на экране, путь предстоял совсем не близкий!

— Успокойся, дружище! — нахмурил брови Найл.

— Тогда расскажи свой план! — не унимался Биллдо.— Вайг тоже хочет знать, Фелим и Бойд... ну, эти с тобой куда угодно пойдут... Но и они будут лучше чувствовать себя, если ты все объяснишь!

— Действительно, брат, слишком много загадок,— поддержал Доггинза Вайг.— Мы все уважаем тебя и подчиняемся приказам Главы Совета Свободных, но каждый будет действовать лучше, если будет понимать задачи операции.

Веки Найла на мгновение прикрылись. Он глубоко вздохнул, концентрируясь и решительно сказал:

— У нас мало времени. У меня нет возможности сейчас долго разжевывать все. Поэтому слушайте: нам противостоят не просто отдельные, разрозненные крысы. Это целая система стаи, такая же, как и пауков-смертоносцев. Внизу пирамиды обычные крысы, крысы-солдаты, выше идут что-то вроде офицеров, а еще выше — мощный мозговой центр...

— Крысиный Смертоносец-Повелитель? — спросили Фелим и Бойд почти одновременно.

— Скорее всего, что именно так! — кивнул головой Найл.— Твари, которые нападали на нас на платформе, это самые примитивные организмы. Пушечной мясо! Мы можем жечь их тоннами и ничего не добьемся потому, что рождаемость у этих тварей отличается чудовищной интенсивностью. Пока мы здесь говорим, родилось уже, наверняка, не меньше сотни паскудных детенышей, не меньше сотни будущих серых убийц. Мы можем вслепую бороздить на локомотиве целыми днями и разрезать на куски сотни солдат, но победы нам это не принесет. Выход один: мы должны разрушить логово главной твари, мы должны испепелить ее чудовищную голову и сжечь дотла череп, в котором рождаются самые гнусные замыслы!

Взгляд Найла поочередно уперся в каждого из членов команды.

— Теперь вам понятно, куда ведет красная линия на круглом мониторе?

Одним из самых лучших качеств Доггинза всегда была сообразительность. Пока молодые молчали, переваривая услышанную информацию, Биллдо щелкнул затвором разрядника, закрывая на время предохранитель и нетерпеливо сказал:

— Трогай вперед, друг! Мы и так потеряли много времени на разную болтовню!

Кнопка "молчание" вернулась в рабочее положение, и Найл громко произнес заветные слова:

— Работа есть работа!

Тут же механический голос с готовностью откликнулся:

"Начало нового маршрута? Начинаем движение?"

— Начинаем!

— "Объявлять название станций?"

— Нет! — рявкнул Доггинз над ухом Найла.— Какие еще станции, к праху!

"Какой режим? Ручной? Автопилот?" — не унимался соскучившийся в одиночестве голос.

— Автопилот! — порывисто скомандовал Найл.— Полный вперед! Предельная скорость без остановок!

Гудевший до этого все время мотор сначала словно притих, замер, как перед прыжком, а потом рванул серебристое тело локомотива вперед, увлекая каравеллу в огромный каменный коридор.

Поезд так резко тронулся с места, что бедняга Биллдо, стоявший за спиной Найла, рухнул вперед, уперевшись огромными волосатыми пятернями в драгоценный лобовой монитор.

Скорость стремительно увеличивалась. На боковых мониторах сначала мелькали фрагменты потрескавшихся стен, виднелись тянущиеся вдоль туннеля кабели и трубы. Потом все слилось в одну сплошную полосу, и разглядеть на экранах ничего было нельзя.

Зато на круглом иллюминаторе отчетливо было заметно, как крупное розовое пятно, обозначающее местоположение локомотива в подземке, двинулась и постепенно стала приближаться к конечной точке маршрута, обозначенного на схеме жирным красным крестом.

— Когда эти две точки сойдутся, начнется настоящая заваруха...— напряженно сказал Найл, продумывая действия на ближайшее время.

“Движение идет нормально. Работа есть работа!” — через каждые несколько минут радостно сообщал голос, но Найл решил потерпеть и не отключать его.

На боковых мониторах было видно, как угрюмое жерло туннеля сменяется на несколько секунд пространством вестибюлей и как молниеносно проскакивают станции, обозначенные на электронной карте пульсирующими пятнами.

Красный зигзаг, прочерченный пальцем Найла на круглом мониторе, постепенно сокращался. Он напоминал тлеющий фитиль, уменьшающийся в размерах и приближающийся с каждым мгновением к пороховой бочке.

Фелим и Бойд сидели молча, напряженно всматриваясь в мониторы. Внезапно Фелим вскричал:

— Что это там? Что там впереди?!

Погруженный в свои мысли Найл резко вскинул глаза и увидел, что впереди творится что-то странное.

— Свет! Самый яркий свет! — крикнул он.

Фелим, сидевший с края у консоли, щелкнул клавишами и мощные снопы света упругими столбами прорезали полную темноту. Взглянув на мониторы, все окаменели от ужаса.

— Земля родная... что же там творится...— охнул Доггинз.

Все пространство туннеля, простиравшегося впереди, было заполнено крысами!

Мерзкие гигантские твари стекались в каменную трубу из каких-то своих нор, они громоздились в несколько рядов, залезая друг другу на спины и карабкаясь к полукруглым сводам.

— Крысиный Властитель понял, что мы несемся к нему! — сказал Найл.— Он выслал своих солдат вперед, чтобы они нас остановили!

“Впереди препятствие. Будем останавливаться? Экстренный тормоз?” — спросил голос.

— Полный вперед! — приказал Найл.— Увеличить скорость!

“Впереди препятствие. Возможна авария! Экстренный тормоз?” — с механической настойчивостью повторил электронный помощник.

— Увеличить скорость!

Приблизив изображение с помощью глазков видеокамер, Найл увеличил картину на мониторе.

— Прах и пепел! — изумился Доггинз.— Сколько их там...

Гигантские животные не собирались разбегаться при виде несущегося состава с ослепительными фонарями. Крупный план камер выхватывал их морды с выпученными бессмысленными глазами. Было видно, что все серые хищники находятся словно под гипнозом, никто не боялся смерти, и каждая с безудержной храбростью тащилась вперед, чтобы подставить свое тело под корпус многотонного локомотива.

Преграда приближалась с каждым мгновением. Животные замерли, встав в боевые стойки и никто из них не шелохнулся.

В первый момент Найлу даже показалось, что мощный мотор не выдержит напряжения и остановится посреди туннеля, до предела забитого окровавленными телами.

Поезд врезался в живую баррикаду на всем ходу, разметав начальные ряды, но почти увязнув в следующих и с большим усилием продвигался по рельсам.

Мотор натужно ревел, протаскивая зеркальный цилиндр через препятствие и кабину даже трясло от страшных столкновений.

Даже внутри поезда ощущались бесчисленные страшные удары и порой казалось, что тут слышится скрежет когтей, царапающих о серебристую обшивку.

С тошнотворным ужасом все смотрели на мониторы, на которых мелькали оскаленные, обезумевшие, окровавленные хищные морды.

— Он чувствует нас! — прошептал Найл.— Крысиный разум ощущает, что мы приближаемся!

Ему с каждой секундой становилось все труднее бороться с этой страшной силой. Необычайный телепатический гнет старался захватить его сознание в тиски, стремился зажать в глухом захвате так, чтобы вырваться было невозможно.

Только в сознании Найла постоянно звучала хрустальная музыка Богини Дельты. Нуада не оставляла своего избранника и насыщала каждую клетку его мозга своей невероятной, брызжущей энергией.

Локомотив прорвался сквозь туннель и снова выскочил на свободное пространство. Красная линия на мониторе неумолимо сокращалась, превратившись в короткий светящийся отрезок длиной всего лишь около одного дюйма...

Найл взглянул на круглый экран и подсчитал:

— Девять десятых пути мы уже прошли, друзья...— Остается пройти совсем немного...

Мысленно забегая вперед, он уже пытался представить себе, какие оборонительные редуты может выставить против его отряда этот зловещий разум. С некоторым торжеством он отмечал про себя, что телепатический гнет, давивший на его сознание все это время, несколько ослаб. Мощные сигналы, бомбардировавшие его мозг с того момента, когда отряд проник в подземелье, стали появляться значительно реже и сами они уже пульсировали не так уверенно, как раньше.

Из глубокой задумчивости его вывели голоса Фелима и Бойда. Братья, от отводящие глаз от консоли управления, обратили внимания на одну необычную вещь.

— Смотри, как странно...— задумчиво сказал Фелим.— Взгляни на круглый монитор!

— И что тут такого? — нахмурил брови Найл.

— Обрати внимание на розовое пятно!

— Это наш локомотив... и что тут такого?

— Мы прекрасно знаем, что пятно обозначает местоположение нашей кабины в подземке,— обиженно вскинулся Фелим.— Здесь нет ничего такого сложного...

— Все-таки...

— Сейчас пятно на экране не двигается! Смотри, уже пару минут оно стоит на месте!

Внимательный взгляд Найла упал на сенсорную клавиатуру, и около минуты он не сводил глаз от светящейся схемы.

— Действительно, линия больше не сокращается...

— Линия остановилась, а локомотив несется с такой же скоростью! — воскликнул Фелим.— Тебя это не настораживает?

— Работа есть работа! — вызвал Найл помощника и тут же услышал знакомый голос:

“Маршрут изменен. Двигаемся по служебной ветке.”

— Кто мог изменить маршрут? — взбеленился Найл.— Это сделал ты?

“Внешняя сила. Переведены пути. Маршрут изменен.”

Тревожные мысли разъяренным ветром метались в его голове. До этого отлаженная система работала прекрасно, и внезапно невероятный сбой. Причем случилось это буквально в двух шагах от цели.

Он не знал, как объяснить происшедшее...

Неужели крысиный разум, почувствовав приближающуюся опасность смог дойти до того, что каким-то образом приказал перевести стрелки и направить каравеллу в другой туннель?

Опасения его все больше и больше усиливались. Действительно, он настолько сильно недооценил эту враждебную силу, что сейчас их бравый ночной поход представлялся ему полным легкомыслием. Они лихо шагали по ночному проспекту и во всем полагались на свои “жнецы”. Оказалось, что все гораздо серьезнее.

Джелло и Марбус могли бы об этом рассказать подробнее, но они, увы, уже никогда не смогут это сделать...

Вихрь этих мыслей промчался в его сознании за секунду, и внезапно он увидел, как туннель, по которому летел их локомотив, круто нырнул вниз. Дорога резко пошла под уклон и Найл вызвал компьютер:

— Работа есть работа! Экстренное торможение!

“Экстренное торможение невозможно! Слишком большая скорость!” — вежливо отозвался голос.

— Торможение!

“Начинаю плавное торможение!”

Все замерли, прислушиваясь, как мотор постепенно сбрасывает обороты. Но инерция была такова, что транспорт по-прежнему летел вперед.

На лобовом мониторе в свете прожекторов было хорошо видно, как стремительно пожирается пространство локомотивом, и сразу остановиться ему никак не удавалось.

Внезапно в лучах света мелькнула черная вода.

— Проклятие! Туннель затоплен! — вскричал Доггинз.— Что происходит?

Пространство туннеля расширилось и перед ними открылось что-то вроде полукруглого искусственного водоема.

— Так он решил нас утопить...— с изумлением выдохнул Найл.— Стрелку не просто перевели по его приказу, нас направили именно сюда!

Сделать ничего было нельзя, и оставалось только покориться судьбе. От предчувствия близкого столкновения у всех пробежал холодок по коже.

— Ну же, друзья, держитесь! — закричал Найл.

Приплюснутый нос локомотива на полной скорости врезался в подземное озеро, разметав вокруг корпуса тучу брызг. Было такое ощущение, что он сошел с рельс, потому что кабину бросило влево, а потом накренило обратно.

* * *

Удар от столкновения разметал всех в разные стороны.

Найл полетел прямо на консоль управления. Фелим и Бойд упали со своих кресел, ударившись ногами о панель, а Вайг удержался с трудом, вцепившись в спинку пилотского кресла.

Доггинз опять, как и раньше, с крепким ругательством врезался прямо в монитор, упершись в него мозолистыми пятернями. Неуклюже оттолкнувшись, он накрыл своим грузным телом Найла, и они вдвоем опрокинули кресло, сломав своей тяжестью металлическую витую ножку.

Почти на всех мониторах воцарилась полная тьма.

Только задний экран, расположенный выше всех, еще показывал туннель, из которого только что вылетел локомотив.

Передние прожекторы сразу ушли в черную воду, и темноту вокруг рассекали только аварийные, установленные на крыше, поэтому освещение было слишком скудным для того, чтобы хорошо ориентироваться.

Вода доходила примерно до середины корпуса, это было видно на всех мониторах. Черные капли уже появились на полу и вода постепенно начала прибывать.

— Задний ход! — скомандовал Найл, хотя внутренний голос и говорил ему, что вряд ли что-то удастся сейчас сделать.

“Задний ход невозможен. Отсутствует контакт с рельсами! Кнопка технической помощи находится в четвертом ряду! Помощь должна прибыть не позже, чем через десять минут” — меланхолично уведомил пассажиров компьютерный голос.

Все переглянулись в молчании, словно в поисках поддержки друг у друга.

— Что же, вперед мы не можем двигаться... назад тоже не можем...— стал рассуждать Найл.

— Если открыть сейчас люк, вода хлынет и все затопит,— буднично сказал Вайг.— Если замочит “жнецы”, они могут выйти из строя... Не хотелось бы оставаться под землей с голыми руками...

— Остается идти только вверх,— рассудительно хмыкнул Доггинз.— Другого пути у нас нет...

— Что же... это мысль! Аварийный выход? — Найл бросил нервный вопрос компьютеру.

“Аварийный выход: четвертый сектор потолка, пятая панель. Работа есть работа! “

Они выбрались на крышу локомотива через запасной люк, встали там и осмотрелись. Наклонный туннель привел в искусственную пещеру, они оказались в древней шахте, в приземистой полукруглой полости.

Лучи их фонариков скользили по глади спокойной темной воды, поверхность которой напоминала отлично отшлифованный черный мрамор.

На душе у Найла было неспокойно. И не только от того, что он позволил неизвестной силе заманить весь отряд в ловушку. Он чувствовал, как вокруг опять сгущается кольцо ненависти.

Вдруг в полной тишине раздался хриплый голос Доггинза:

— Проклятие! Смотрите на берег!

По краю озера бесшумно бежала стая крыс. Серые тени появлялись из тьмы и бежали так, точно торопились обогнать друг друга.

— Что же, готовим “жнецы”, ребята! — приказал Найл.— Пока каравелла полностью не пошла ко дну, мы успеем хорошо поработать...

Одна из крыс, летевшая впереди всех, на полной скорости влетела в воду и поплыла к локомотиву.

— Никогда не думал, что эти твари умеют плавать! — изумился Доггинз.

— Такое ощущение, что они умеют абсолютно все...— горько усмехнулся Найл.

Он уже представил себе, как вся стая ринется в воду и направится к их ненадежному транспорту, постепенно уходящему вглубь. Первые ряды будут обречены на гибель и не смогут добраться до кабины. Но следующие могут достичь ее...

Коварства и сил у них вполне хватило бы на то, чтобы раскачать серебристый корпус, а в воде люди ничего не смогли бы предпринять...

Неожиданно он увидел, что крыса, бросившаяся в воду первой, проплыв всего пару метров, неожиданно повернула назад и судорожно погребла обратно.

Пока Найл размышлял, что могло заставить ее так переменить решение, рядом с серой хищницей забурлила вода, и из пены волны показалось какое-то длинное продолговатое тело.

Крыса уже почти достигла берега и вышла на сушу. Ей оставалось сделать только пару шагов, и она уже была бы в полной безопасности.

Но рядом с ней метнулось бледное тело гигантского червя. Внешне он напоминал обычного яблочного точильщика,— бугристое студенистое тело, черная головка...

Только он достигал в длину метров пятишести и в диаметре не уступил бы небольшому бочонку для меда. Крыса сделала отчаянный рывок, стараясь выскочить на землю, но червь, внешне неповоротливый, успел догнать ее и обхватить кольцами.

Тело его было бледным, полупрозрачным, а вместо рта было что-то вроде черной губчатой воронки, окаймленной по краям мощными щупальцами.

Червь приник к телу живой крысы круглым ротовым отверстием, а потом начал всасывать в себя мясо со шкурой, снимая прямо с костей. Он не заглатывал ее, как удав или питон, а именно всасывал плоть, совершенно не интересуясь костями.

Сперва крыса еще пыталась сопротивляться, она извивалась мускулистым телом, изгибалась и отчаянно верещала. Но потом вздрогнула несколько раз и затихла.

Сквозь прозрачную кожу подземного червя, лежащего у берега, было видно, как кровоточащая, бесформенная плоть животного стекает по стеклянистому пищеводу, распространяясь вязкой темной массой по продолговатым внутренностям.

— Прах побери мое волосатое брюхо...— ошеломлено вымолвил Доггинз.— Что же это за чудище такое... Такого мы даже в Дельте не видели...

Длинное студенистое тело темнело изнутри стремительно, и вскоре подводная тварь нырнула под воду.

От изумления все разинули рты: на песке остался лежать только белый, голый, полностью обработанный скелет с торчащими в разные стороны берцовыми костями.

После "поцелуя" гигантского червя на плотно сбитом теле крысы не осталось и капельки плоти...

Подоспевшая стая в молчаливом ужасе наблюдала за расправой, которой подверглась самая смелая из них.

Хвостатые хищницы стояли на берегу, сверкали красными глазками, но не решались даже пошевелиться.

Но зловещая сила, подчинившая их сознания, усиливала гнет, стискивала тиски. Найл чувствовал, как его незримый противник толкает своих солдат на локомотив, как он отдает ментальные приказы об убийстве людей.

И его усилия достигли цели. В один момент стая ринулась вперед и с пронзительным визгом бросилась в озеро.

Проплыть они успели тоже все несколько метров, как и первая. Внезапно черная вода вскипела, забурлила, в ней начали вскидываться прозрачные студенистые кольца...

Червей оказалось огромное множество. Они хватали крыс, утаскивали под воду, и вскоре чисто обсосанными скелетами начала заполняться вся песчаная полоса. Все озеро бурлило и вода волновалась, точно под землей разыгралась нешуточная буря.

Весь отряд Найла с ужасом наблюдал за этой скоротечной расправой. Люди с трудом балансировали на скользкой крыше локомотива, к тому же кузов постоянно раскачивался из-за волнения воды.

— Нас куда-то относит! — тревожно заметил Фелим.— Мы подвинулись уже на несколько метров в сторону.

Поднявшимися волнами полупустую кабину подземной каравеллы несло к противоположному берегу.

— Ну-ка, взгляните... что там, над головой...— сказал Вайг, направляя луч фонаря наверх.

В низком бетонном своде искусственной пещеры отчетливо виднелся прямоугольник какого-то колодца и спускающиеся оттуда ступени металлической лестницы.

— Пояса! Снимайте пояса живее! — сообразил Вайг.

Кабина локомотива постоянно раскачивалась и, одновременно, погружалась все глубже из-за воды, заполнявшей ее изнутри. Стоять было безумием, но каждый понимал, что падение в воду к одному из прозрачных червей не принесет никакого удовольствия.

Торопливо сняв прочные пояса со своих походных туник, они быстро связали их все в один длинный канат.

— Нужно привязать что-нибудь тяжелое на конец,— сообразил Фелим.— Тогда его можно будет забросить...

Для этой цели вполне подошел нож Билдо. Рукоятку обмотали связанным канатом и Вайг ловко метнул ее по направлению металлической лестницы.

Увесистый нож пролетел между ступеньками, и Вайг осторожно спустил его вниз, но только с другой стороны лестницы. Таким образом получился канат, связывающий их с люком.

В воде продолжалось ужасная кровавая оргия. Хотя крысы бросались в воду десятками, появлялись все новые и новые черви, и еще ни одна волосатая тварь не смогла даже доплыть до локомотива.

Вся пещера была наполнена громким, оглушительным визгом и беспрестанным плеском воды.

Найл не мог отвести взгляда от бурлящих бурунов, в которых мелькали блестящие извивающиеся кольца.

— Братишка, давай ты будешь первым! — протянул Вайг ему конец каната.— Я подержу твой разрядник!

Он миновал расстояние первым за несколько секунд и перебрался на скользкие ступени лестницы. Следующим поднимался Вайг, обвешанный сразу двумя “жнецами”, Найл протянул брату сверху руку и втащил его к себе.

Через пару минут весь отряд уже поднялся наверх и снова очутился на одной из станций подземки. Здесь и была конечная точка того маршрута, который начертал палец Найла на сенсорной клавиатуре компьютера.

Сила, которая так долго пыталась поработить его своей зловещей энергией, была уже где-то совсем рядом! Золотистый медальон, висевший на груди Найла снова напоминал ложку кипящего свинца. Он прожигал грудь и стремился к самому сердцу.

Только одновременно с этим голова его была защищена звенящими стеклянными перезвонами. Каждое мгновение Богиня Дельты защищала своего избранника, и сила, властвовавшая в подземелье, чувствовала это.

— Это где-то совсем рядом,— хрипло дыша, сообщил Найл.— Осталось, может быть, всего несколько метров!

От прямоугольного прохода на них бросилось несколько крыс, но бесшумные молнии “жнецов” за мгновение оставили от каждой по кучке пепла.

Отряд вы вышел к вестибюлю древней станции и на ступенях увидел то, что держало в страхе не только жителей огромного Города, но даже все племя пауков-смертоносцев...

Старая, дряхлая крыса лежала на каких-то старых тряпках в центре лестницы, на небольшом возвышении, напоминающем постамент.

Небольших размеров, конечно, в сравнении со всеми другими особями, величиной она была с двухмесячного поросенка. Редкая грязно-белая шерсть почти вылезла, обнажая тело множеством проплешин. Но не это поразило Найла и его друзей.

На туловище крысы-мутанта сидело две головы...

Дряблые уши походили на листья подорожника, увядшие на жаре. Белые выпуклые слезящиеся глазки сидели на каждой голове так близко друг у другу, что издалека выглядели, как один.

У Найла, светившего на эту седую тварь фонариком, сначала даже возникло ощущение, что на каждой из голов у нее только по одному зрачку...

Обе пасти-челюсти, лишенные губ, уже не смыкались, обнажая желтые руины редких зубов, а с них беспрестанно сочились нити густой слюны.

— Вот мразь...— с отвращением сплюнул Доггинз.— Давай, я шарахну по ней! Не могу больше видеть...

— Подожди! — хмуро приказал Найл.— Мне нужно с ней побеседовать...

Глаза Биллдо распахнулись от изумления, но он по опыту знал, что спорить бесполезно.

Найл подошел ближе и в свете фонаря увидел, что крыса пытается закрыть глаза, непривыкшие к свету, от ярких лучей фонарей. По коже у него пробежал холодок, когда взгляд его упал на ее лапы, прикрывающие плешивую, почти облезшую морду. У нее были пятипалые конечности, по виду ничем не отличающиеся от человеческих рук!

Можно было даже разглядеть морщинки у суставов пальцев, прозрачные скрюченные когти, напоминающие человеческие ногти...

Перед ним лежал какой-то жалкий обрубок, но в то же время у Найла ни на секунду не возникало сомнения, что это именно то существо, которое владело сознанием не только всех крыс подземелья, но и могло оказывать чудовищный гнет на сознания всех других живых существ, включая человека.

Из-за нее чуть не возникла война в Городе. Чуть не вспыхнула кровавая схватка, которая могла бы погубить многих людей.

Он твердо знал, что именно эта крыса-альбинос с сегодняшней ночи так активно пыталась сломить его собственную волю. Она замучила его настолько, что он вынужден был просить поддержки у Богини Дельты!

Именно Нуада, подключившись к сознанию Найла и сломила волю Повелительницы Подземелья.

Теперь он пришел говорить с ней с позиции силы. Он пришел ее судить, и двуглавая крыса подчинилась воле Нуады, брызжущей из ментальных импульсов Найла.

Его отряд, оставшийся стоять немного поодаль, в стороне, со смешанным чувством восхищения и ужаса наблюдал, как глаза Главы

Совета Свободных уперлись в дряхлую крысу, и обе головы ее дрожат, словно пытаясь спрятаться от этого неумолимого взгляда.

Так продолжалось несколько минут, а потом Найл подошел к ним, тяжело ступая по пыльным плитам платформы и приказал:

— Вы должны встать у путей. Сейчас на рельсы выйдут все крысы. Они не будут сопротивляться. Вы должны казнить их...

— А если эти твари все-таки бросятся на нас? — задумчиво спросил Фелим.

— Не бросятся! — твердо сказал Найл.— Она прикажет им медленно выходить, опустив головы...

Вскоре из разных дыр и нор, из проходов и коридоров на станцию потянулись серые тела. Здесь были старые и молодые, маленькие и большие, но все они шли точно под гипнозом, повинуясь одной властной мелодии, звучащей в сознании каждой из них.

Найл отошел в сторону. Он не хотел участвовать в казни.

Темные своды станции озарялись ослепительными фиолетовыми молниями. "Жнецы" Фелима и Бойда, Вайга и Доггинза изрыгали молниеносные бесшумные молнии, и вскоре с огромным племенем было покончено.

На ступенях станции осталась лежать только дряхлая облезлая крыса. Но и она вскоре вздрогнула несколько раз и безвольно уронила обе головы на лапы, так напоминающие человеческие руки.

Найл обвел измученным взглядом задымленные, мрачные, угрюмые своды подземной станции и заметил:

— Теперь пора наверх... Там, в Городе, наверное, давно рассвело...

Помолчав немного, он устало улыбнулся и признался:

— Вот уж никогда не думал, что я так люблю солнце!

Литературно-художественное издание

Мир Пауков Колина Уилсона

Макферсон Брайан
Мудрец

Руководитель проекта Д. Ивахнов
Составитель М. Ахманов
Художественный редактор О. Адаскина
Компьютерный дизайн: А. Сергеев
Верстка: Л. Андреева
Технический редактор В. Успенский
Корректор С. Митина

Подписано в печать с готовых диапозитивов 20.10.2000.
Формат 84×108 1/32. Гарнитура «Школьная». Печать офсетная.
Усл. печ. л. 21,00. Тираж 7000 экз. Заказ 3230.

Налоговая льгота — общероссийский классификатор продукции
ОК-005-93, том 2; 953000 — книги, брошюры.

Гигиеническое заключение № 77.99.14.953.П.12850.7.00 от 14.07.2000 г.

ООО «Издательство АСТ» Лицензия ИД № 02694 от 30.08.2000 г.
674460, Читинская область, Агинский район,
п. Агинское, ул. Базара Ринчино, д. 84
Наши электронные адреса: WWW.AST.RU E-mail: astpub@aha.ru

Издательство «Северо-Запад Пресс»
Лицензия ИД № 00450 от 15.11.1999
Санкт-Петербург, ул. Казначейская, д. 4/16, лит. А
Для писем: 197022, Санкт-Петербург, а/я 125
sz-press@peterlink.ru

При участии ООО «Харвест». Лицензия ЛВ № 32 от 27.08.97.
220013, Минск, ул. Я. Коласа, 35 — 305.

Налоговая льгота — Общегосударственный классификатор
Республики Беларусь ОКРБ 007-98, ч. 1; 22.11.20.300.

Отпечатано с готовых диапозитивов заказчика
в типографии издательства «Белорусский Дом печати».
220013, Минск, пр. Ф. Скорины, 79.